改訂版

BSケア  基本の型

赤ちゃんの母乳吸啜メカニズムに
基づく乳房ケア

改訂版に寄せて

　2003年に開始した日総研 BSケアベーシックコースセミナーの内容を書籍化した初版発行から早5年。本書は，2017年初版を著した後に新たに加わった知見を追加し，さらに読みやすい構成を考え改訂しました。

　BSケア®の全体像を学ぶためには，「改訂版 BSケア® 基本の型」（本書）と2005年から開始した日総研 BSケアアドバンスコースセミナーの内容を書籍化した「改訂版 BSケア® 特殊な型」の2冊を熟読していただき，その後に「改訂版 BSケア® 特殊な型」の付録のDVDをご覧いただくことで，理解が深まります。

　本書は，イラストや写真を多数挿入して，実際のBSケア®の場面が再現できるように工夫し，幾度となく読み重ねることでBSケア®への疑問に対する答えが得られるように編集しました。加えて，母乳育児を行っているお母さん自身が手にとっても理解できるように，平易な解説を心がけています。なお，写真は初版のものをそのまま掲載しております。今般の状況から，十分な感染防御対策が不可欠です。BSケア®を行う場面や施設による違いが大きいと考えますので，ケア時の状況に合わせてご検討ください。

　実技の際の手の動かし方や力加減に関しては，NPO法人BSケアプレゼンター®の元で，実際に手を添えてもらいながら学ぶことをお勧めします。ご参考までに，2022年時点の全国のBSケアプレゼンター®を掲載しておりますので，ご参照ください。

　全国のお母さんに，BSケア®が届くことを願っています。

　2022年6月

　　　　　　　　　　　NPO法人BSケア® 理事長　寺田恵子

※「BSケア®」「BSケアプレゼンター®」は，NPO法人BSケアの商標登録です。なお，本書の文中では®は省略しています。

はじめに

本書の目的と特色

　本書は，乳房に直接触れるケアを望むお母さんに母乳育児支援者が痛みを感じさせず実践するためのテキストです。過去に著わされてきた乳房全体を揉んだり動かしたりするマッサージ方法論とは異なります。お母さんの乳首に赤ちゃんの母乳吸啜に倣う動きを行うと，お母さんの乳房は自ら赤ちゃんに乳汁を送り出そうとします。この自然な反応を応用したBSケアを分かりやすく解説しました。

特色1　相談窓口となるために

　「乳房マッサージは痛いから嫌だな～」と悩むお母さんたちが，安心して訪れることができる相談窓口を増やしたいと考えている助産師の，夢を実現するためのテキストです。本書を手にすることで，乳房ケアでお母さんが"痛い思い"を我慢させられることはなくなります。お母さんが感じる"痛い思い"は，乳房だけに留まらず，心身両面にわたるものであると考えています。

特色2　赤ちゃんの母乳吸啜とケアリングの理論

　母乳育児支援者の乳房ケア実践のための技術論だけでなく，ケアリングの理論や看護の倫理原則をも含めて解説しています。主役は赤ちゃんとお母さんです。赤ちゃんが自然の摂理の中で，お母さんの乳房から母乳を飲み取るメカニズムを基にした理論と，理論の背景にある基本の考え方を理解した上で実践に移すことが大切です。

特色3　実践のためのテキストの制約と，練習の必要性

　実践のためのテキストとはいえ，内容をさらりと読み流しただけでは実践力にはなりません。たくさんのお母さんの乳房に触れさせていただきながら，本書の内容と照らし合わせて洞察していくという，自己研鑽を繰り返さなければ，支援者としての成長はないと思われます。その繰り返しの中で，さまざまな障壁に突き当たり，支援者自身の苦い体験となることもあるでしょう。いくつもの壁が行く先を立ち塞ぐかもしれませんが，悩みや壁を乗り越えた後には本物のBSケアが実践できるようになり，支援者としての喜びを得ることもできるでしょう。

　本書が，我々と同じ思いを持つ母乳育児支援者の方々の手に届くことを願っています。

目次

第1章 BSケアの基本の考え方と特徴
(寺田恵子)

1 BSケアって何？ 10
　BSケアとは 11
　"BSケア"の名称の由来 11

2 赤ちゃんの母乳吸啜メカニズム 13

3 BSケアが開発された理由 14
　方法論を学ぶ機会がなかった助産師学生時代 14
　産褥期に求められている乳房ケアへの期待 15
　BSケアの土台となる理論を学ぶセミナーとの出合い 15

4 BSケアの理念と3つの基本方針 18

5 BSケアの特色 21

6 BSケアの適応 22
　乳汁流出困難 22
　炎症 22
　母乳分泌増加過程 23
　吸着適応過程 25
　母乳分泌量バランス調節過程 26
　残存した乳汁 28
　乳頭の現象 28
　その他 29

7 BSケアに対するお母さんの評価 30

8 BSケアで母乳育児支援を行うために 32
　「母乳育児成功のための10カ条（10ステップ）」を理解しよう 32
　乳房の声 33

コラム お母さん自身が行う「魔法のクチュクチュ」の必要性
　―新型コロナウイルス感染予防対策としてのオンライン配信 34

第2章 赤ちゃんの母乳吸啜メカニズムに倣うBSケアの手の型 （浅野美智留）

1 赤ちゃんの母乳吸啜に関与する部分の解剖と働き ……………… 38
- 乳房と赤ちゃんの解剖生理 ……………… 38
- 解剖生理に倣う技術のポイント ……………… 40

2 舌の動きと吸啜圧 ……………… 42
- 舌の動きと圧のメカニズム ……………… 42
- 吸啜圧に倣う技術のポイント ……………… 43
- 射乳圧と吸啜圧による癒し ……………… 43

3 赤ちゃんの母乳吸啜の2相性リズム（NNSとNS） ……………… 44
- NNSとNSの違い ……………… 44
- NNSとNSの違いによる技術のポイント ……………… 44

4 母乳吸啜に反応するホルモン ……………… 47
- ホルモン分泌を誘発する吸啜刺激 ……………… 47
- ホルモン分泌を誘発する吸啜に倣う技術のポイント ……………… 47
- 2種の下垂体と乳腺房の変化 ……………… 48

5 赤ちゃんの母乳吸啜だけでは解消できない乳管の観察と経験知による判断 ……………… 50

6 母指と示指以外の手 ……………… 51
- ポジショニングとは違う手指の位置 ……………… 51
- 射乳を待ち，射乳後に触診 ……………… 51
- 両手・指による圧の調整 ……………… 51

7 BSケア習得の要点 ……………… 53
- 型をアレンジすると体を痛める ……………… 53
- 優しい力にこそ乳房が合理的に反応する ……………… 53
- 射乳や乳房の能動性や変化してきたかを察する ……………… 53
- 常に乳房や赤ちゃんの力を主役にできる，自分の思考力 ……………… 53

第3章 BSケアの基本の型の技術 （寺田恵子）

1 BSケアの役割 ... 56

2 お母さんの最優先課題を聴く ... 56

3 乳房に向かう・お母さんに向かう ... 57

4 「触れさせていただく」気持ち～乳房に触れることの同意を得る ... 58

5 乳房に触れて看る ... 59
産後0～2日目 ... 59
産後3～4日目 ... 59
退院前～退院直後 ... 59
退院後しばらくたった時期 ... 60
母乳育児を継続している時期 ... 60
授乳を終える時期 ... 60

6 BSケアの基本の型の流れ ... 61
1）触診 ... 62
2）乳房に添える手 ... 66
3）赤ちゃんの母乳吸啜をイメージしたNNS様の動き ... 68
4）赤ちゃんの母乳吸啜をイメージしたNS様の動き ... 73
5）触診 ... 74
6）お母さんが楽になったか確認 ... 74
7）BSケア終了のタイミング ... 74

7 基本の型の限界 ... 75
「痛くないケア」の限界 ... 75
しこり（乳房内の硬結）の除去の限界 ... 75
乳腺炎による膿瘍化 ... 76
BSケアでの対応への限界が疑われる場合 ... 76

8 BSケアを研鑽するための要点 ... 78
BSケアの技（型の習熟） ... 78
乳房を通してお母さんの全身に向かうとは ... 79

第4章 BSケアの応用 (寺田恵子)

1 お母さん自身が行う乳首のセルフケア ... 84

2 現象とBSケア ... 86
乳房の病的な緊満（母乳分泌増加過程） ... 86
硬結・しこり（乳汁流出困難） ... 86
乳腺炎（炎症） ... 86
母乳分泌不足（母乳分泌量バランス調整過程） ... 86
短乳頭・扁平乳頭・陥没乳頭（吸着適応過程） ... 87
断乳・卒乳後のケア（残存した乳汁） ... 87

3 妊娠中と産後早期のBSケア ... 88
妊娠中のBSケア ... 88
産後早期のBSケア ... 88

第5章 実践論の背景 赤ちゃんとお母さんが先生
～少しだけ手伝いながら，さらに教えてもらう (浅野美智留)

1 思考過程も研鑽!? なぜ，マッサージをしないのか ... 92

2 適応する力について考える～乳房自らが乳腺炎を予防しようとする ... 95

3 赤ちゃんに畏敬の念を持って伴奏～赤ちゃんの力を，お母さんと共に敬う ... 97
1. 自然な経過を少しの手伝いでより良くする ... 97
2. 母親が違和感を覚えるところを癒す手伝いをする ... 98

4 赤ちゃんとお母さんが先生～母児相互作用の素晴らしさから学ぶ ... 104

BSケアを応用したお母さんにもできるセルフケア
魔法のクチュクチュ
赤ちゃんの母乳の飲み方に倣う手当て ... 106

全国のBSケアプレゼンター／BSケア関連投稿論文・学会発表一覧 ... 120
索引 ... 122

第 1 章

BSケアの基本の考え方と特徴

1 BSケアって何?

さくら子

profile　総合病院の産科病棟で働く2年目の新人助産師。現在,母乳育児や乳房ケアに興味を持ち始め,先輩助産師をつかまえてはいろいろと悩みや疑問をぶつけている。

えみ先輩,少しお時間いいですか?
(ナースステーションで,パソコンに記録を入力しているえみ先輩の横に立つ)
私は,多くの入院中のお母さんが,乳房の痛みや,母乳の出方が悪いと悩んでいることに驚いています。お母さんたちから,「おっぱいマッサージでおっぱいの痛みを取ってください」と言われるのですが,どのようにしたらよいのか分かりません…。助産師の教育課程でも教わらなかったし…。ほかの先輩に教わってやってみるのですが,お母さんはとても痛そうで申し訳なく思います。

えみ先輩

profile　母乳育児の知識と乳房ケアの技に関して病棟で皆から一目置かれているこの道二十数年のベテラン助産師。姉御肌で,仕事中も後輩からよく声をかけられて質問や悩み相談を受けている。

分かるわ,その気持ち。実は私もね,若いころに同じような経験を何度もしたことがあるのよ。

さ：えーっ,本当ですか? えみ先輩のケアは痛くないってお母さんから好評ですよ。この間,「BSケアは痛くないケアだ」と耳にしたのですが,BSケアってどんな方法なのでしょうか? 乳房マッサージが痛くないなんて不思議です。

え：さくら子さんは,入院中に乳房の痛みで悩むお母さんに対して,痛くない方法で乳房の痛みを取ってあげたいと思っているのね。でも,どうやって痛みを取ってあげたらよいのか,具体的な方法が分からずに困っているのね。周囲にいる先輩たちの方法をまねるだけでは,痛がるお母さんが多いことがとても気の毒に思えて,「痛くない」と言われているBSケアについて知りたいと思っているの?

さ：えみ先輩,もしかして,BSケアでお母さんをケアしているのですか?

え：そうよ。えっ? あなた,今まで気付かなかったの?

さ：耳にしたことはあるのですが,実際に見たことがなくて…。

え：BSケアはね,「赤ちゃんの母乳吸啜に倣って手を動かす,"痛くない乳房ケア"」と言われているのよ。

BSケアとは

　BSケアは，赤ちゃんの母乳吸啜に倣って手を動かす，"痛くない乳房ケア"です。
　赤ちゃんは乳房全体を揉みながら母乳を吸啜することはなく，乳首のみを吸うことで母乳を飲み取っています。それだけで，母乳が滞っている場合や乳管が詰まっている状況など，お母さんの乳房に起こるすべての現象に対応することができ，解決に導いていくことがあります。これに倣ったBSケアは，赤ちゃんが母乳を飲むだけではお母さんの乳房の痛みや違和感が取れない時に，赤ちゃんに代わってお母さんの痛みを取り，乳房を癒す方法です。赤ちゃんの吸い方に倣ってケアを行うことから，一般的に行われている，乳房全体を揉んだり動かしたりするマッサージの概念はありません。これはあくまでも，赤ちゃんが母乳を飲む時に吸う"乳首"（乳頭乳輪体）に行うケアです。
　ただし，お母さんの乳房は単独で存在しているわけではないので，お母さんの心と身体の両面に寄り添いながら癒します。

"BSケア"の名称の由来

　"BSケア"の正式な日本語の名称は，「赤ちゃんの母乳吸啜メカニズムに基づく乳房ケア」と言います。英語では**C**are based on the **B**reast-feeding infants' **S**uckling mechanismsまたは**B**reast-feeding babys' **S**uckling mechanismsと表記します。
　BSケアの提唱者は，2002年に仲間たちとプロジェクトを組み，"痛くない乳房ケア"の開発に取り組みました。「BSケア」という通称はプロジェクトの立ち上げと同時に決定しました。
　「BSケア」の「B」と「S」は，breastまたはbabyの「B」と，babyが母乳を吸うsucklingの「S」です。この「B」と「S」の2文字は母乳育児支援の「要」であると考えています。赤ちゃんがお母さんの乳首を吸うことで，お母さんの大切な乳房を癒していることへの敬意も含んでいます。
　さらに，BSケアでは，お母さんの乳房のみにとどまらず，心身両面を癒し，お母さんと赤ちゃん，そして家族にとっての幸せな母乳育児を支援したいと考えています。お母さんの乳房に現れた現象の背景を心身の両面からとらえ，お母さんに寄り添う姿勢を大切にしながら，お母さんを取り囲む環境（または社会）と向き合います。そのような理由から，「ケア（care）」と表記しました。看護の基本姿勢であるケアリングの考えを大切にしたいと思っています。

●BSケアで母乳育児を支援するということ

　母乳育児を支援するのは，母乳育児から得られる恩恵を保証するためです。恩恵は赤ちゃん側にもお母さん側にもあります。赤ちゃんにとっては感染予防の効果，アレルギー疾患のリスクの低下，小児がん罹患のリスクの低下，乳幼児死亡の減少，将来の肥満と糖尿病の予防効果，認知能力の向上，顔面の形成と歯並びなどが挙げられています。そしてお母さんの短期的な恩恵としては，産後の出血量の減少と子宮復古の促進，自然避妊。そして，長期の恩恵としては，女性特有のがんの予防効果，整形外科疾患，生活習慣病罹患率の低下などがあります[1]。

　これらの恩恵を保証するためには，母乳育児が継続できる支援が大切です。そして何よりも，お母さんや家族にとっての将来的な経済的メリットがあります。人工乳の情報は企業が宣伝費をかけてアピールするものの，母乳育児の支援はお産をサポートしてくれる人や施設の方針次第で推進されるかどうかが異なります。

　現実はいろいろな場面があり，母乳育児継続が阻まれてしまうことは少なくありません。何の支援も必要ないお母さんもいれば，赤ちゃんの抱き方やくわえさせ方のみの支援でうまく乗り切れるお母さん，乳管閉塞や乳腺炎で赤ちゃんに吸わせることすらできないお母さん，自分の乳房に触れることすらできない状況に追い込まれたお母さんもいます。

　そのような時に，痛みを感じることなく乳房の現象を解消してくれる支援者からケアを受けることができることは，お母さんたちにとって非常に心強いことでしょう。

　なお，BSケアは母乳育児を強制的に押し付けるための方法論ではありませんから，母乳育児を選択しない，または選択できない場合の支援も含みます。

　BSケアの技術論は難しい方法ではなく，シンプルです。赤ちゃんが母乳を飲む時の吸い口（乳頭乳輪体＝乳首＝teat）の部分にのみケアを行い，赤ちゃんの母乳の吸い方に倣って行います。多くの支援者に，母乳育児継続のための基本技能としてBSケアを身に付けていただきたいと願っています。

2 赤ちゃんの母乳吸啜メカニズム

●BSケアの用語の定義

> **赤ちゃんの母乳吸啜**：お母さんの乳首（乳頭乳輪体）に吸着した後，吸啜を開始し，母乳が射乳されてきたら嚥下（飲み込む）しながら呼吸をする一つのユニットとして仕組まれている（suck-swallowユニット）（編注：第2章「2舌の動きと吸啜圧」〈P.42〉参照）。
>
> **お母さんの乳首**：乳首は，刺激によって乳頭と乳輪が一体となり，突出して吸い口を形成する。乳頭と乳輪は平滑筋で形成されているため，刺激に対して収縮し，赤ちゃんのNNS（non-nutritive sucking：非栄養吸啜）で柔軟になり形が整う。
>
> **赤ちゃんの母乳吸啜とお母さんの母乳分泌**：赤ちゃんが乳首に吸着しNNSを始めると，脳下垂体後葉からオキシトシンが分泌され，乳腺房を取り囲む筋上皮細胞が収縮し射乳が起こる。射乳が起こると赤ちゃんはNS（nutritive sucking：栄養吸啜）を始め，母乳を飲み込む。

　赤ちゃんの母乳吸啜は，お母さんの乳首を吸うことと乳汁を飲み込むことがユニットとして組まれており，「suck-swallowユニット」と表されています[2]。したがって，"suck"は「吸う」動きとしてとらえ，母乳を飲むことは"suckling"と表したいと考えました。

　BSケアは，赤ちゃんがお母さんの乳首を吸う状態に倣って手を動かしていきますが，単純に「吸う」という行為，つまりストローや人工乳首を吸うことではないと考えています。乳首は乳頭が単独で存在するのではなく，乳頭と乳輪が一体となって乳頭乳輪体を形成して吸い口となります。乳頭と乳輪は平滑筋で取り囲まれ，刺激に対して収縮して突出します（編注：第2章の図3〈P.39〉参照）。そして，赤ちゃんの口腔内では，乳首は2倍に伸展します[3]。同じ「吸う」行為であっても，人工乳首とお母さんの乳首は違いがあります[4]。

3 BSケアが開発された理由

さくら子

先輩！　私たちの病棟でやっている，お母さんの乳房ケアのことなのですが，「乳房マッサージは痛い！」と言われるので，授乳中のお母さんの乳房に触れることは苦手です。痛くないBSケアが開発されたきっかけは，どのような状況だったのでしょうか？　お母さんから痛いって言われたくはないのですが…。

えみ先輩

私たちも含めてなんだけど，母乳育児支援を行っている人たちは，さくら子さんと同じように，乳房に触れてお母さんから「痛い」と言われると，「じゃあ，次は痛くない状況で乳房に触れてあげたい」と思うわよね。私も，新人のころに同じ体験をしたのよ。

さ：えみ先輩でもそうなんですか。みんな同じなんですね！
え：BSケアの提唱者はこんなことをおっしゃっていたわ。

方法論を学ぶ機会がなかった助産師学生時代

　BSケアの提唱者も，40年程前は総合病院で働く新人助産師でした。新人時代に臨床で最初に突き当たった壁は，病的な乳房緊満に苦しむお母さんたちの多さ。お母さんたちに乳房マッサージを求められても，どのようにマッサージをしたよいのかが分からない苦悶がありました。

　そのころの職場の授乳環境は母子異室制で，授乳時間ごとに新生児室にある授乳室にお母さんが出向き，決められた時間だけ赤ちゃんに母乳を与える体制でした。授乳前後に体重を測り，決められた母乳量（生後日数＋10ｇ）に達していなければ，その数値を目安に不足分のミルクを補うことが当たり前の時代で，赤ちゃんが授乳時間に目覚めていなければ，母乳は十分に与えられぬままミルクを補足していました。このような状況ですから，お母さんの乳房が病的に緊満するのは当然の結果であり，入院中のお母さんたちの多くが苦しんでいました。助産師の教育では分娩介助術については教わるものの，乳房の病的な緊満に苦しむお母さんにどのような対応をしたらよいかの教育は受けていませんでしたので，ケア方法は分からないままでした。

産褥期に求められている乳房ケアへの期待

　産褥期に関わる看護者であるにもかかわらず，乳房を癒す手段を持たずして臨床にいることに恥ずかしさを覚えました。お産には必ず終わりはあるものの，乳房の痛みは終わりが見えない状況でした。しかも，痛みは入院中に解消されることはないまま退院せざるを得ないことに対して申し訳なさを感じていました。

　先輩たちの乳房マッサージの手技を学ぼうとしましたが，マッサージを受けているお母さんたちは，苦痛に顔をゆがめ，泣き出しそうな表情でした。先輩たちは「痛くても我慢しなさい。そうしないとおっぱいは出ないのだから！」とお母さんに伝えていました。今の時代は，医療の倫理原則が広く知られているため，侵襲を与えるケアなどは考えられないでしょうが，体を押さえ付けてでも乳房をつかんで揉むことがまかり通っていた時代です。お母さんが苦痛に顔をゆがめるようなマッサージの場にとどまることは，私にとってもつらい体験でした。

　そんな時，助産師学校で聴講した「痛くない乳房マッサージ」の方法論を思い出し，早速，短期セミナーに参加しました。参加することで，方法論の概略は知ることができました。しかし，手技は教えてもらえません。「手技を学びたければ，長期の研修に来てください」と言われるだけでした。職場を退職するというリスクを背負って乳房マッサージを学ぶ経済的な余裕と時間と勇気はありませんでした。

　その後，ほかの短期セミナーで乳房マッサージの方法論を学び，いろいろな方法をミックスし自分なりのやり方で実践できないかと試行錯誤しました。研鑽を重ねていくうちに，未熟なケアであっても，「痛くない。あの人に触れてほしい」という言葉が聞かれるようになりました。

BSケアの土台となる理論を学ぶセミナーとの出合い

　ある日，母乳育児支援家向けのセミナーで，赤ちゃんの母乳吸啜のリズムのNNS（non-nutritive sucking：非栄養吸啜）とNS（nutritive sucking：栄養吸啜）（**表1**）という用語を耳にしました。その言葉は，提唱者の心にストンと落ちました。セミナー講師は，「母乳を与えているお母さんは，赤ちゃんが母乳を飲んでくれる時はとても幸せそうな顔をしているでしょう。だから，赤ちゃんが母乳を飲んでいるようなお手当てをしてあげたらよいのよ！」と話されました。

表1 ● NNS（非栄養吸啜）とNS（栄養吸啜）の違い

NNS (non-nutritive sucking)	NS (nutritive sucking)
栄養摂取を伴わないsuck	**栄養摂取を伴うsuck**
・1秒間に約2回の短い間隔。 ・射乳反射を導くsuck（call-up sucking）でもある（クチュクチュしながら眠る段階でもNNSの動き）。 ・乳首を引っ張り出し形を整えて、児が乳汁を飲めるよう準備。NS時にも混在する。	・1秒に約1回のゆっくりしたペース。 ・乳汁が湧いてくると吸う動きは持続し、飲み込み（swallow）ながら、NNSに比べて大きくポーズ（休止）を取る。 ・飲みながら乳首の形を整える時はNNSの動きになる。

Woolridge, M. W：The 'Anatomy' of Infant Sucking, Midwifery 2（4）, 1986, 164-171.

　"幸せそう" という言葉が、心に染み入りました。

　その後は、講師の「赤ちゃんが母乳を飲むようにお手当て。幸せな母乳育児」という言葉が頭を離れず、その言葉をヒントに、赤ちゃんの母乳吸啜をイメージしながら乳房ケアを行っていきました。すると、乳房全体を動かさなくとも、お母さんの乳首（乳頭乳輪体）に提唱者の手を置き、赤ちゃんが吸うリズムで動かすだけで、乳房全体が楽になったというお母さんの声が聞かれるようになりました。

　乳房ケアを実施させていただいた人の数が数万人に達しようとしていたある日、ケアを受けているお母さんの口から「あ～、気持ちがいい。赤ちゃんに吸われているみたい」という言葉が発せられました。さらに、「気持ちがいい」「痛くない」「眠くなる」などの "快" の表現と共に、ケア中にグーグー眠りだすお母さんたちもいたことから、乳房ケアの核心を得たことを実感しました。

　そのうちに、入院中のお母さんからの指名を受けるようになりました。勤務時間内では対応しきれなくなることもあり、それからは、リクエストがある場合は勤務終了後であっても乳房ケアを行ってから帰るようになりました。お母さんたちからの期待に応えることで、助産師としてのやりがいを持てるようになり、自分の居場所が確保され、自己成長しているという満足感、そして自己肯定感が高まりました。

　自分の技術が人のために役立つ喜び。そこから、さらなる乳房ケアの研鑽が始まったように思います。

　ケアをしたお母さんの数が25,000人に達したある日、「この方法ならば、誰でも簡単に身に付けることができる！」と確信するようになりました。こんなにシンプルな方法でお母さんを癒せるのであるならば…と、一念発起。ケア技術を手にしたいと思っている仲間にこの方法を伝えたいと考えるようになり、助産師仲間に痛く

ない乳房ケアを一緒に開発してほしいと呼びかけ，BSケアの開発に着手しました。

　2002年，有志が集い第一次プロジェクトを立ち上げました。開業助産師や大学の講師陣も加わり，11人のメンバーで開発に取り組みました。いろいろな立場で討論を重ね，BSケアの理論の土台をつくり上げました。そして，2003年5月の福岡県公衆衛生学会[5]を皮切りに，助産の専門誌に記事[6〜10]を発表し，2003年より全国で日総研出版主催のBSケア普及セミナーを開始しました。

　その後，2005年より第二次プロジェクトを，2008年より第三次プロジェクトを始動し，2019年にNPO法人BSケアを設立。現在も活動を続けています。

　2022年現在までに，全国の母乳育児支援者延べ10,000人がBSケアセミナーに参加され，全国各地にBSケアをお伝えすることができました。参加された方々の動機は，「職場環境や生活環境を変えないで直接乳房に触れる優しいケア技術を身につけたい」「痛いと言われるケア技術を見直したい」「解剖生理に沿った乳房ケアを学びたい」という状況でした。お母さんに優しいケアを届けたいと考えている仲間はたくさんおられます。今後も，教育機関に通って学ぶという体制ではなく，当法人メンバーが各地で学ぶ機会をつくるセミナー形式を土台として，仲間を増やす努力を継続したいと考えます。BSケア窓口を開設できるNPO法人BSケアプレゼンターを全国各地に増やし，お母さんたちが安心して母乳育児を継続できるようにお手伝いしていきたいと考えています。

4 BSケアの理念と3つの基本方針

さくら子

プロジェクトでは，どんなことをねらいとしてBSケアの普及活動をしているのでしょうか？

えみ先輩

BSケアにはね，確固たる理念があるのよ。そして，その理念に沿った基本方針も明確なの。全国でBSケアを行っている「BSケアプレゼンター」と呼ばれる人たちはみんな，その理念に基づいてお母さんにケアをプレゼントしているの。
全国のお母さんがBSケアを受けることができるように，プロジェクトは全国でBSケアの普及活動をしているのよ。

さ：そうなんですね。全国規模で活動をしていらっしゃるのですね。そんなに全国に広まりつつあるケアだったんですね。知らなかったなー。

BSケアは，「お母さんと赤ちゃんそして家族にとっての幸せな母乳育児を支援する」という理念に沿って活動するために，3つの基本方針を立てています。

●母子とその支援者のエンパワーメント

母乳育児の主役は"お母さんと赤ちゃん"です。そして，その主役を家族が支えてくださって成り立ちます。母乳育児は，医療者に管理されて成し遂げられるものではなく，お母さん自身が母乳育児を継続しようと思わなければ，できません。時には，お母さんと赤ちゃんの2人の力だけではうまくいかない場合もあります。継続のためには，いつでも相談できる専門家（支援者）の窓口が必要となります。BSケアは，赤ちゃんの力でお母さんの乳房を癒すことができない時やお母さんが支援を求めた場合に，必要なだけのケアを行います。

支援する上で大切にしているのは，支援者が介入することによって，「支援者のおかげで助けられた」という気持ちや発想がお母さんの中に生まれないような関わり方です。なぜなら，お母さんと赤ちゃんがエンパワーメントするためには，"お母さんと赤ちゃんの力で何もかもがうまくいく"と感じてもらう必要があるからです。2人の関係を邪魔しないで，あくまでも黒子に徹することで，お母さんと赤ちゃんの自己効力感が高まるような関わり方を心がけます。そのような母子を目の当たりにすると，支援者はBSケアの理念を実感できます。自分自身がその役割が

担えたことによって，支援者自身もエンパワーメントされていきます。

　BSケアは，"お母さんも赤ちゃんも支援者もエンパワーメントされる，癒し癒されるケアリングの関係"が展開できることを目指しています。

●BSケアの検証と発展

　BSケアは2002年にWoolridgeの理論[3]を基に開発して，2003年より日総研セミナーを開始し，常に自分たちが行ったケアの検証を重ねながら活動を継続してきました。初版から改訂までに，23本の論文を示しています（P.121参照）。

　BSケアの開発に着手し20年が経過しました。その間に，多くの文献で母乳育児支援に関するエビデンスが紹介・発表され，今ではすぐにその情報を手に入れることができる環境になってきましたので，開発したという状況に甘んじることなく，さらなる発展を目指し，技術の根拠となるエビデンスと照らし合わせ検証を重ねています。そして，技術の伝え方の工夫も怠りません。

　幸いにも，現在示されている文献からBSケアの理論は後付で証明される状況にあります。その中からいくつかの例をご紹介します。

❶「乳管洞」という部位。現在は存在せず，伸展性のよい乳管（ダクト）であるということが分かってきました。BSケアでは，開発当初から乳管洞を押して搾る手技としては示していません。射乳反射を導き，射乳反射で乳汁の流れを促す方法であることを示してきました。

❷母乳を飲む時の赤ちゃんの舌の蠕動運動。母乳を飲み取る時の赤ちゃんの舌は口蓋に軽く押し当てる程度であると示されています[11]。舌の蠕動運動も小さな動きであることが確認されました。BSケアでは，舌の役割をする親指と，口蓋の役割をする示指の力加減について，開発当初から，「示指に押し当てる母指の圧は軽く押し当てる程度」と表現しています。

　BSケアは乳首に行う手技ですから，乳首への介入効果を示す必要があります。しかし，現在は乳首に対しての介入の評価基準が明らかにされていません。これを受けて，乳首に関する基礎的な研究に取り組むことから始めています[※1]。今後も，新しい情報に耳を傾けながら，BSケアの考え方に矛盾が生じていないか照らし合わせ，検証を怠らず，発展に努めていきたいと考えています。

※1　産後早期の褥婦の授乳に影響する乳頭の硬度と長さの検討を行い，基礎的データを得，授乳の状況を示すLATCHスコアとの関連について検討した。

●BSケアネットワークの確立

　BSケアネットワークを確立する意味は2つあります。1つ目は，全国のお母さんにBSケアの窓口を紹介するためです。2つ目は，BSケアを実践する仲間がピアな関係で支え合うためです。

　BSケアプロジェクトの立ち上げは，「BSケアを受けられるところを教えてください」というお母さんの声が原動力となりました。お母さんが安心して訪れることができる支援窓口を増やすための努力は現在進行形です。ただし，BSケアは乳房ケアとしては新しい方法論であるため，施設で孤独に実践するしかない場合もあります。例えば，現在までに伝えられてきた乳房マッサージの方法論とは違うオリジナルな考え方ですので，「乳首だけ触っていても効果はないのではないか」「痛くない乳房マッサージで乳房が癒せるはずがない」と考える人もいます。しかし，ほかの方法論を体験した後にBSケアを体験したお母さんの多くは，痛くないBSケアを支持してくださる現実があります。

　BSケアの実践者たちは，病棟のスタッフの多くがBSケアを支持しないとしても，お母さんの喜びの声を大切にしていきたいと考えています。お母さんたちにとって間違った支援方法ではないことを，全国のBSケアプレゼンターが実証しています。

　NPO法人BSケアでは，「BSケアプレゼンター」を認定しています。「BSケアプレゼンター」とは，お母さんと赤ちゃんが幸せな母乳育児になるようBSケアの技能をプレゼントし，BSケアを研鑽している仲間にもプレゼンテーションできる人です。BSケアプレゼンターは，BSケアを研究し，社会や教育の場に向けて発信します。

　2022年現在，全国100人程のBSケアプレゼンターが全国各地で活躍しています（P.120参照）。その中で，お母さんと赤ちゃんにとってより良いケアが定着することを目指して，仲間が仲間を支え合う関係性が確立しつつあります。

5 BSケアの特色

　BSケアの特色の1つ目は、"**痛くないこと**"です。「乳房マッサージは陣痛より痛い」と表現されることがありますが、BSケアはむしろ気持ちが良いと言われることが多いです（P.31参照）。BSケアが「痛くない」のは、乳房の組織に対して、乱暴な力で、揉む・揺らす・剝がすというような行為はしないからです。乳房をケアする時に支援者の力は必要ありません。また、乳房は性器であるという考えの下、乳房に触れることが当たり前であるとはとらえずに、お母さんに許可を得てから触れるように心がける必要があります。

　BSケアの際は、乳房に優しく手を置き、お母さんの大切な身体に触れさせていただいているという気持ちを忘れないように触診します。指で乳腺葉をつかむような触れ方はしません。乳首にソフトな刺激を与えることで、脳下垂体後葉からオキシトシンが分泌されて、乳腺房を取り囲む筋上皮細胞が収縮し、乳房から自ずと乳汁が排出される（射乳）状況をつくります。その射乳を利用して、赤ちゃんがうまく飲み出せない乳腺からの乳汁を誘います。だからこそ、乳房の痛みや母乳不足に限らず、どんな現象にも対応できるのです。ケア後には、「よく出るようになった」という声も聞かれます。

　2つ目は、"**技術のメカニズムはシンプル**"であることです。赤ちゃんの母乳吸啜メカニズムである栄養を伴わない吸啜（NNS）と栄養吸啜（NS）に倣って行いますから、原理が理解できたらBSケアの流れも理解できます。赤ちゃんの母乳吸啜とBSケアの関連については、第2章で解説します。

　3つ目は、"**乳房を通してお母さんの全身に向かうケア**"であることです。乳房はお母さんの全身の中の一部であり、そのお母さんは社会で生活している1人の独立した存在です。乳房に現れた現象からお母さんの生活全般を批判することはしません。昨今は、乳腺炎や乳管の閉塞に関して、お母さんの摂ったある種の食べ物が影響していると指摘して食事制限を強いる支援者もいると耳にしますが、特定の食物がヒトにおける乳腺炎のリスクであるというエビデンスは示されていません[12]。食育に関するアドバイスは必要なことですので、根拠のない除去食よりも、食事全体のバランスを保つための情報提供の方が必要であると考えています。お母さんを傷付ける発言をしないことは当然であると考えます。

　4つ目は、"**ケアを受けるお母さんとケアを行う支援者との相互作用**"です。相互作用によるエンパワーメントに関しては「BSケアの理念と3つの基本方針」（P.18）のところで前述しています。

　5つ目は、"**ケアの有効性が高い**"ことです（P.30参照）。

6 BSケアの適応

1. 乳汁流出困難………一般的に乳腺房のしこり（硬結）・白斑[※2]
2. 炎症………………一般的に乳腺炎
3. 母乳分泌増加過程…一般的に母乳分泌不足感・母乳分泌不足
4. 吸着適応過程………一般的に赤ちゃんが吸えない・短乳頭・扁平乳頭・陥没乳頭
5. 母乳分泌量バランス調節過程…一般的に母乳分泌不足・母乳分泌過多・赤ちゃんの体重の増加不良と診断された
6. 残存した乳汁………一般的に断乳・卒乳後のしこり（硬結）
7. 乳頭の現象…………一般的に傷・痛み・白斑
8. その他

　BSケアは，乳房に起こるすべての現象に対応できます。生活者であるお母さんに対しては"時間の経緯"を含んで考え，"その時点"だけでの判断を下すことはしませんので，過程と表現しているものもあります。支援者のケア力は，最高の支援者である赤ちゃんが母乳を飲む力に対して，お手伝いする役目しかありません。

乳汁流出困難

　乳汁流出困難とは，乳管の閉塞や狭窄による乳汁のうっ滞，乳汁の貯留によるしこり（硬結）を指します。乳汁流出困難の場合には，乳汁の流出が妨げられている乳管の狭窄や閉塞を除去し，流出困難な乳汁を排乳することを目的として，必要な乳腺を仮定または限定してケアを行います。その後は，赤ちゃんの母乳吸啜で全面的に解消されていきます。1回のケアで解消される場合と，数回ケアを継続することが必要な場合もあります。

炎症

　乳腺に起こった炎症を指します。乳腺炎は，うっ滞性から感染性へと移行することが示されています[13]ので，乳腺炎の原因となった乳腺葉につながる1本の乳管から，うっ滞した乳汁を排乳することを目的としてケアします。うっ滞から感染性

※2　乳頭上の乳管口部分が白い円形の点，またはその周辺の表皮が不定形な白色部分として見えるものを指し，痛みと乳管の閉塞を伴うことが多い。チーズ様の凝乳，石灰化した成分，脂肪成分などが乳管に詰まっている場合や，皮膚硬結（肥厚），すなわち胼胝（たこ）が形成されている場合などがある。脱落すべき角質層が付着して白く見える場合は，乳管の閉塞と痛みを伴わないことも多い[13]。

乳腺炎に移行した場合は，感染を起こした乳腺葉につながる乳管から同様に排乳します。原因となる乳管からの乳汁の流れが促せれば，その後の赤ちゃんの母乳吸啜で解消に導きます。感染性乳腺炎が疑われる場合は，医師との共同診断となりますので，日本助産師会で示された乳腺炎のフローチャート[13]を参考にします。

母乳分泌増加過程

　母乳は最初から分泌されるものではなく，母乳分泌機序（**表2**）に基づきます。入院中は，乳汁生成Ⅰ期（妊娠中～産後2日目）～乳汁生成Ⅱ期（産後8日目位）の移行過程にあり，日々，劇的に変化していきます。乳汁生成Ⅲ期（産後9日目以降）になると，オートクリン・コントロール（局所的調整）（**図1，2**）の状態になります。母乳分泌は，ここからが本格稼働状態です。できるだけ乳汁生成Ⅱ期の間にすべての乳腺から効率良く乳汁が飲み取れるようにケアする必要があります。

　入院中から退院後早期という母乳分泌増加過程における大切な時期に，赤ちゃんの適切な吸着による頻回授乳とBSケアが行われたならば，母乳分泌不足の状況を回避できる可能性があります。乳汁生成Ⅲ期を越えた場合でも，母乳分泌増加過程の時期を逸したわけではありません。赤ちゃんがうまく飲み取れていない乳腺に対

表2● 乳汁生成の段階とその特徴　　　　　　　水野克己，水野紀子：母乳育児支援講座，P.19，南山堂，2011．

段階	期間	特徴
乳腺発育期	妊娠～	乳腺が発育し，乳房の大きさ，重量が増大する。 エストロゲンとプロゲステロンの作用により乳管や乳腺組織が増殖する。
乳汁生成Ⅰ期	妊娠中期～ 産後2日	妊娠中期～後期の間に乳汁産生を開始する。 乳汁分泌細胞は腺房細胞へと分化する。 プロラクチン刺激により乳腺上皮細胞が乳汁を分泌する。
乳汁生成Ⅱ期	産後3～8日	プロゲステロン，エストロゲン，hPLの母体血中濃度が急激に低下する。 乳腺細胞間隙が閉じる。 乳汁の分泌量が増加し，乳房に熱感や緊満を感じる。
乳汁生成Ⅲ期	産後9日～ 退縮期開始	オートクリン・コントロール（需要と供給のバランス：乳汁産生量は児が飲みとった量）で調整される。 乳房の大きさは産後6～9カ月で縮小する。
乳房退縮期	最後の授乳～ 約40日	分泌抑制作用のあるペプチドの働きにより乳汁分泌が低下する。 母乳中のナトリウム濃度が増加する。

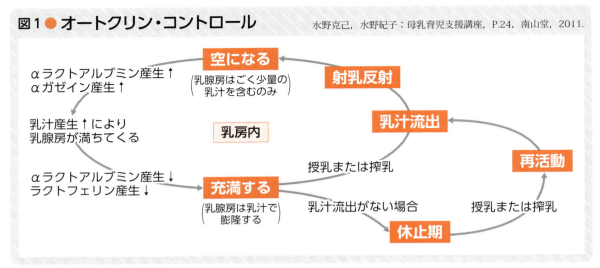

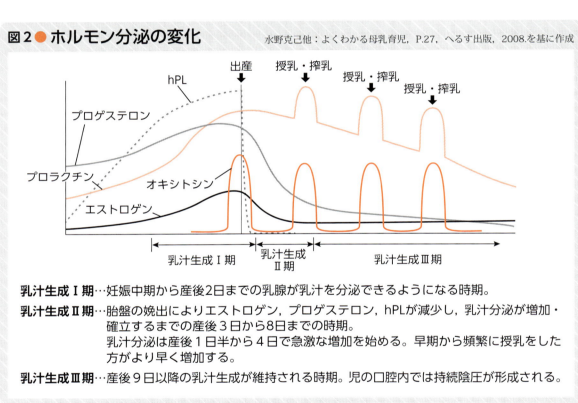

乳汁生成Ⅰ期…妊娠中期から産後2日までの乳腺が乳汁を分泌できるようになる時期。
乳汁生成Ⅱ期…胎盤の娩出によりエストロゲン，プロゲステロン，hPLが減少し，乳汁分泌が増加・確立するまでの産後3日から8日までの時期。
乳汁分泌は産後1日半から4日で急激な増加を始める。早期から頻繁に授乳をした方がより早く増加する。
乳汁生成Ⅲ期…産後9日以降の乳汁生成が維持される時期。児の口腔内では持続陰圧が形成される。

しては，どの時期からBSケアを始めたとしても，うまく稼働できていない乳腺葉を目覚めさせることができます。すべての乳腺が稼働できるように支援することで，乳汁分泌が増加することは多々あり，赤ちゃんが母乳を飲み続けることで，母乳分泌量は維持できます。

図3 ● 乳頭の主な形態とピンチテストでの判定

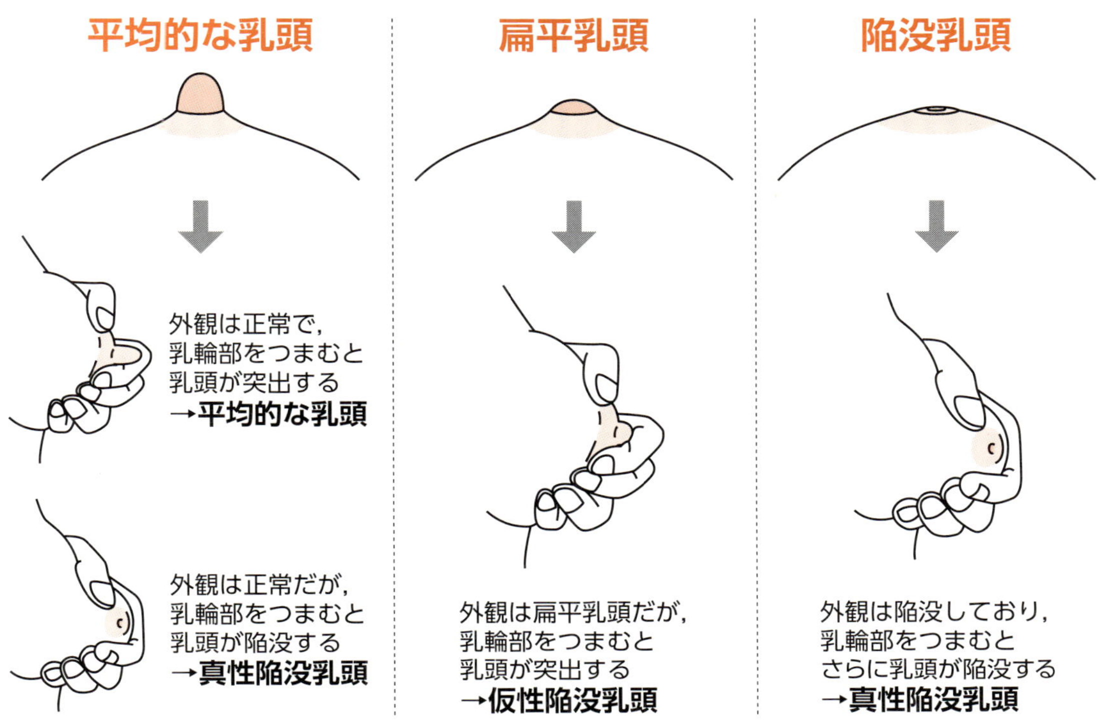

平均的な乳頭

外観は正常で，乳輪部をつまむと乳頭が突出する
→**平均的な乳頭**

外観は正常だが，乳輪部をつまむと乳頭が陥没する
→**真性陥没乳頭**

扁平乳頭

外観は扁平乳頭だが，乳輪部をつまむと乳頭が突出する
→**仮性陥没乳頭**

陥没乳頭

外観は陥没しており，乳輪部をつまむとさらに乳頭が陥没する
→**真性陥没乳頭**

吸着適応過程

　赤ちゃんは何の支援がなくてもお母さんの乳首に上手に吸着することができるのは，そのシステムが本能の中に組み込まれているからです[14]。赤ちゃんが，お母さんの乳首にうまく吸い付くことができるようになるまでは，吸着適応過程にあると考えています。

　赤ちゃんの吸着に関しては，お母さんの乳頭の形態によって評価されることがあり，一般的には短乳頭，扁平乳頭，陥没乳頭（仮性陥没乳頭・真性陥没乳頭）のように分類されています（**図3**）が，赤ちゃんはお母さん以外の人の乳頭に吸着することはないので，支援者の形態学的な分類が赤ちゃんの吸いにくさに関連するのか否かは判断できません。また，支援者が過去に関わったお母さんへの支援経験の結果に基づき判断されることも多く，経験知が浅く過去の成功体験が少ないと，「吸えない乳頭」であるというステレオタイプにはめ込む可能性がありますので注意が必要です。

　吸着適応過程にある赤ちゃんは学習しますので，お母さんの乳首に柔軟性があれば，たとえ吸いにくそうに感じられたとしても吸えるようになる可能性は高いです。「支援者の技術不足や経験不足をお母さんの乳頭の形態の問題にすり替えているの

ではないか」と真摯に自己と向き合う必要があります。BSケアを体得すれば，赤ちゃんの吸着適応過程に寄り添うための技能となります。BSケア後に吸着の練習が繰り返し行われることで乳首は形成され，その後の母乳育児の継続は赤ちゃんの母乳吸啜だけで可能になります。

母乳分泌量バランス調節過程

　産褥早期の乳房の充満や緊満状態，母乳分泌不足，母乳分泌不足"感"または母乳分泌過多の状態を指します。

●産後早期の乳房の充満や緊満状態

　乳房内には，乳汁になるための素材として血液・組織液・リンパ液が流れ込んでいることから熱感や緊満感を感じることがあり，乳汁になる前段階と考えられます。産後早期から赤ちゃんが適切に乳汁を飲み取れていたら，病的な緊満状態の予防は可能です。施設の母乳育児支援体制によって，病的な緊満が起こるお母さんの割合が違う可能性もあります。乳房全体を柔らかくするための痛いマッサージよりも，前述した赤ちゃんが乳汁を適切に飲み取ることができる支援が重要となります。

●母乳分泌不足（感）

　母乳分泌量に関しては，真の母乳分泌不足か，お母さん自身が感じている母乳分泌不足感であるかを見極める必要があります。

　赤ちゃんの哺乳量は，授乳前後の体重の変化で判断されることが多いのですが，母乳量測定が母乳育児支援に必要であるという根拠はなく，何日目に何cc飲めたら良いかという適切な基準も明確なエビデンスも示されていません。臨床上は，新生児期においては生後日数＋10ｇとして判断され，吸わせる時間も，左右それぞれ5分を1クール，それを2クールで，授乳時間は20分と設定されていることもありますが，根拠は明確ではないのです。母乳は授乳の前半と後半では脂肪の濃度が違うことから[12]，時間をかけてゆっくりと授乳する必要があります。授乳の際に時間制限をして母乳量を計り，人工乳を必要以上に補足すると，赤ちゃんが母乳を飲み取る機会が奪われます（**表3**）。真の母乳分泌不足か否かを正確に判断しつつ，母乳分泌量が1日でも早く増加傾向に向かうことを目的としてBSケアを行う必要があります。お母さんが母乳分泌不足を感じているのであれば，なぜそのように感じるのかの理由を確認して，お母さんの訴えに寄り添うことが大切です。

●母乳分泌過多

　乳房の張りが長期間継続する場合には，母乳分泌過多ととらえられることがあり

表3 ● 母乳育児成功のための10カ条（10ステップ）

母乳育児成功のための10カ条（10ステップ）（2018年改訂）

基本的な管理手順

1. a 母乳代替品のマーケティングに関する国際規準（WHOコード）と世界保健総会の決議を遵守する
   b 母乳育児の方針を文章にして、施設の職員やお母さん・家族にいつでも見られるようにする
   c 母乳育児に関して継続的な監視およびデータ管理のシステムを確立する
2. 医療従事者が母乳育児支援に十分な知識、能力、技術を持っていることを確認する

重要な臨床実践

3. すべての妊婦・その家族に母乳育児の重要性と方法について話し合いをする
4. 出生直後から、途切れることのない早期母子接触をすすめ、出生後できるだけ早く母乳が飲ませられるように支援する
5. お母さんが母乳育児を始め、続けるために、どんな小さな問題でも対応できるように支援する
6. 医学的に必要がない限り、母乳以外の水分、糖水、人工乳を与えない
7. お母さんと赤ちゃんを一緒にいられるようにして、24時間母子同室をする
8. 赤ちゃんの欲しがるサインをお母さんがわかり、それに対応できるように授乳の支援をする
9. 哺乳びんや人工乳首、おしゃぶりを使うことの弊害についてお母さんと話し合う
10. 退院時には、両親とその赤ちゃんが継続的な支援をいつでも利用できることを伝える

日本文はユニセフ東京事務所の承認済み

日本母乳の会編：赤ちゃんにやさしい病院運動実践ガイドおよびガイドライン―周産期医療施設における母乳育児の保護，促進，そして支援；実践ガイド2018 ガイドライン2017，P.25，日本母乳の会，2019.

〈参考〉母乳育児成功のための10カ条（UNICEF／WHO, 1989）
産科医療機関と新生児のためのケアを提供するすべての施設は
1. 母乳育児推進の方針を文書にし、すべての関係職員がいつでも確認できるようにする
2. この方針を実施する上で必要な知識と技術をすべての関係職員に指導する
3. すべての妊婦に母乳育児の利点と授乳の方法を教える
4. 母親が出産後30分以内に母乳を飲ませられるように援助する
5. 母乳の飲ませ方をその場で具体的に指導する。またもし赤ちゃんを母親から離して収容しなければならない場合にも、母乳の分泌を維持する方法を教える
6. 医学的に必要でないかぎり、新生児には母乳以外の栄養や水分を与えない
7. 母子同室にする。母親と赤ちゃんが終日一緒にいられるようにする
8. 赤ちゃんが欲しがる時はいつでも、母親が母乳を飲ませられるようにする
9. 母乳で育てている赤ちゃんにゴムの乳首やおしゃぶりを与えない
10. 母乳で育てる母親のための支援グループづくりを助け、母親が退院する時にそれらのグループを紹介する

ます。乳房の張りが取れないと赤ちゃんが飲み残した乳汁ととらえられ，授乳後の後搾りを勧められることがありますが，授乳後の後搾りは需要と供給のバランスを崩し，さらに母乳量の増加を促す可能性があるので注意が必要です。

また，乳房の緊満の原因がうっ滞した乳汁であるのか，乳房内部に隠れた良性・悪性の腫瘍であるかを検討する必要があります。

うっ滞した乳汁が原因で母乳分泌過多と思われていた緊満の場合は，必要な乳腺のみからの排乳を試み，BSケアの後に赤ちゃんが母乳を飲み取ることで，急激に軽減することも多いです。

残存した乳汁

授乳を終えた後（断乳・卒乳）は，乳房が母乳を分泌させることを停止するために乳汁産生にブレーキをかける必要があります。これは，FIL（feedback inhibitor of lactation：乳汁分泌抑制因子）の働きを利用した方法です[4]。乳腺葉は自然に消退しようとする部分と，すぐには抑制がかからず分泌を続けたい部分が現れます。分泌を続けたい乳腺は，乳汁が排出されないことから乳管に閉塞を起こし，しこりとなる場合もあります。乳汁産生にブレーキをかけるには，数日（3日間ほど）乳房内に乳汁をうっ滞させることが必要です。その経過を見守りながら，自然に消退する乳腺はそのまま見守り，閉塞を来した乳腺は閉塞を除去して自然に消退できるようにします。自然に消退できない乳腺のみを選択的にケアしましょう。

そして，授乳を終えたお母さんの気持ちに向き合います。お母さんは，安堵感と寂しさが共存していることでしょう。授乳を終えるまでの労をたたえ，両方の気持ちに寄り添っていく必要があります。赤ちゃんは，母乳を急に与えてもらえなくなったことで，数日間は泣き続けます。赤ちゃんもつらくて寂しい気持ちが残る反面，3日間ほどすると母乳を飲まずとも過ごせる状態が来ることでしょう。乳汁に栄養をゆだねていた日々から，自分で摂取した食物を栄養に変える大切な自立の時です。水分不足に気を付けながら，2人の気持ちに寄り添い，授乳を終える過程を見守りましょう。

乳頭の現象

乳頭の損傷や授乳時の痛み，白斑などがあります。

●乳頭の損傷

赤ちゃんがお母さんの乳首に適切な吸着ができていないことから，赤ちゃんの口

腔内を乳頭が出入りして損傷を起こすと言われています[15]。BSケア後の柔軟な乳首に赤ちゃんの適切な吸着が行われれば、乳頭の損傷は予防できます[16]。

● 授乳時の痛み

乳頭の損傷が主な原因ですが，乳管の閉塞による痛みの場合も多いです。乳頭が柔軟になり，乳管の閉塞がなくなれば痛みは軽減します。BSケアで乳首を柔軟にして伸展性を良くし，その後に赤ちゃんの適切な吸着を促すことで，授乳時の痛みはなくなり快適な授乳ができるようになります。

● 白斑

白斑は痛みを伴うので，お母さんは授乳することが苦痛になります。白斑には，上皮細胞の過形成や脂肪物質の蓄積など[17]数種類あります。BSケアで対応可能な白斑か否かを判断した後に，異物であれば取り除き，乳管の周りの組織の増殖であれば，白斑に見える乳管の閉塞または狭窄を除去できれば痛みは軽減します。BSケアで白斑となった部分の異物を排除，もしくは，乳汁の流れを促し，その後の授乳による苦痛が少しでも早く解消するようにケアしましょう。

母乳を十分に与えられない状況は，乳汁のうっ滞を招き，ひいては乳腺炎へと移行する可能性がありますので，できるだけ早い対応が望まれます。ただし，白斑は肉眼的には長期に残りますので，白斑そのものが消失しなくても，授乳時に痛みを伴わない場合は自然に消失するのを待ちます。

その他

BSケアの適応となる現象は，排出可能な乳汁の場合に限ります。膿瘍化して排出困難な乳汁や，乳房の腫瘍（良性・悪性）によるしこりは適応から除外します。疑わしい場合は，医師との共同診断となります。

7 BSケアに対するお母さんの評価

さくら子
BSケアが痛くないケアだということは分かったのですが，ケアを受けたお母さんたちは，このBSケアをどのように感じているのでしょうか？

えみ先輩
そうよね，私たちは痛くないと思っていても，実際にケアを受けたお母さんたちの声を聴いてみないと，本当に痛くないのか，気持ちが良いケアなのかは分からないわよね。お母さんたちの評価に関するアンケート調査があるので紹介するわ。

　BSケアの開発に当たり，BSケア提唱者の行うケアに対するお母さんの評価をアンケート調査しました。個人クリニックで収集し，対象は，2001年1月から2003年2月の間に提唱者のBSケアを受けた経験のある授乳中のお母さん370人です。その中の一部の結果をご紹介します。

　BSケアを受けて，乳房の現象が解決したと感じるか否かについて，3段階で分類しました（**図4**）。完全解決55.9％，大体解決34.4％を合わせると90.3％という高い評価を得ました。大体解決とは，その後，赤ちゃんに吸わせることで解決できるであろうという意味で表現しています[※3]。9割の人が「解決した」としている点は評価すべきです。

　次に，BSケアを受けた時の痛みに関しても，同じく3段階で分類しました（**図4**）。全く痛くない62.9％，少し痛いが不快ではない32.4％を合わせて95.3％という高い評価を得ました。「少し痛いが不快ではない」というあいまいな表現ですが，痛いけれど解消してほしいと感じる痛み"快痛"に当たる表現ととらえています。だからこそ，少しの痛みはあっても不快ではないという表現に相当します。必要のない力による暴力的な痛みは皆無であると言えます。お母さんは，まさに解決してほしい現象を感じる乳管に舌役割の母指が当たった時には「そこそこ！」と表現することがあります。閉塞していた1mmの乳腺にヒットした時には瞬間的に痛いと感じ

※3　「大体解決」というあいまいな言葉が「解決」という分類に含まれるかどうかについては，赤ちゃん自身の力で効果的におっぱいを飲めるようなお手伝いをし，赤ちゃんがおっぱいを飲み続けることでその後に完全に解決することができます。したがって，"お母さんが自分の力で解決した，解決できる"と感じることができれば，そこでケアは終了となります。しかも，現象が認められる1本の乳腺だけから排乳すればよく，ほかのすべての乳腺から排乳する必要はありません。支援者のケアが必要と考えられる乳腺だけをケアし，「大体解決」でケアを留め置くこともあります。

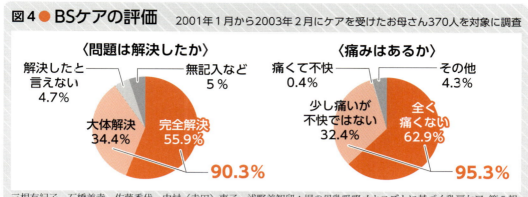

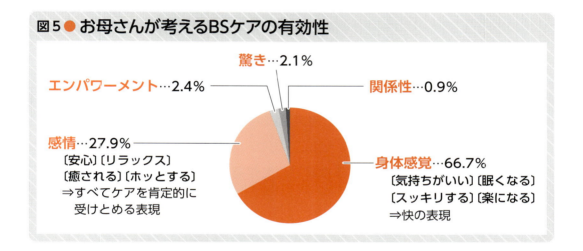

　ますが，その閉塞が抜ける時には「痛いけれどそのまま続けてほしい」と表現されてます。

　BSケアを受けた後のお母さんのBSケアに対する表現（**図5**）については，一番多かったのが「身体感覚」という表現で66.6％です。具体的には，気持ちがいい，眠くなる，スッキリする，楽になるというような快の表現が半数以上でした。次に，「感情」に関する表現が27.8％で，安心，リラックス，癒される，ホッとするなど，ケアを肯定的に受けとめる表現がありました。さらに，「エンパワーメント」を表す表現が2.4％，「驚き」が2.1％，「関係性」が0.9％と続きました。

8 BSケアで母乳育児支援を行うために

さくら子

BSケアは素晴らしいことばかりなんですね。母乳不足に悩むお母さんがいたら，BSケアを受けていただけば，きっと悩みは解消するでしょうね。今後は，スタッフ全員でBSケアに取り組みます！

えみ先輩

そう言ってくれるとうれしいわ！　でもね，BSケアは母乳育児がうまくいくために乳房に直接触れて支援する技だけど，魔法のケアではないのよ。BSケアさえ提供していれば，それだけで母乳育児の悩みがすべて解決できるわけではないの。

さ：それってどういうことですか？
え：それはね，BSケアの根幹は，「母乳育児成功のための10カ条（10ステップ）」（**表3**〈P.27〉）の遂行にあると考えられているの。これは，BSケアの開発に取り組み始めた当初からの考えよ。10ステップを遂行しながら，必要な時にBSケアを受けることができる相談窓口を作ることを土台として支援していく必要があるのよ。

「母乳育児成功のための10カ条（10ステップ）」を理解しよう

　「母乳育児成功のための10カ条」は，UNICEF／WHOが，1989年に産科医療機関と新生児のためのケアを提供するすべての施設に対して表した方針です[14, 18]。その後2018年に改訂版「母乳育児成功のための10カ条（10ステップ）」（**表3**〈P.27〉）が示されました。

　しかしながら，病棟の状況やその環境においては，10ステップを遂行できない施設があるかもしれませんし，遂行できないのでBSケアを実践しても無駄ではないかという意見が出ることも推察できますが，決してそんなことはありません。BSケアは赤ちゃんの母乳吸啜メカニズムに倣った方法ですので，10ステップのいくつかが実践できない場合であっても，BSケアで赤ちゃんの母乳吸啜の代行ができると考えています。

　例えば，分娩直後から母児分離状況にならざるを得ないお母さんと赤ちゃんの場合，初回授乳は遅れます。しかし，BSケアは赤ちゃんの母乳吸啜の代行ですから，赤ちゃんの母乳吸啜刺激をお母さんの脳下垂体に送る役割を成す可能性があります。

BSケアを提供し，赤ちゃんのNNS（栄養摂取を伴わない母乳吸啜）に倣うNNS様の動きで乳首のケアを行うことが重要であると考えています。これは，分娩を終えたお母さんの帰室時のケアとして提案できます。また，赤ちゃんがNICUに搬送された場合には，母児が分離されている間は頻回授乳の代わりに，お母さん自身が行う「魔法のクチュクチュ」による3時間ごとのセルフケアで乳首に刺激を与えることができます。

搾乳を行う場合には，搾乳の前にNNS様の動きで乳首を刺激して射乳を導いた後にNS様の動きで搾乳を行うと，効率よく母乳を貯めることができます。セルフケアに関しては，巻末に「魔法のクチュクチュ」を資料として添付しましたのでご参照ください。

乳房の声

BSケアは技術論だけではなく，技術論と共にケアリングの考え方を含んでいることを解説してきました。

目の前に乳房に何らかの現象を感じるお母さんが横たわっていたら，その乳房に向かうことで，皆さんは何が見えますか？ 何を感じるでしょうか？ 乳房だけに目を向けて，しこり・炎症などの医学的な診断名だけを挙げていないでしょうか？ 医学的な診断の前に，お母さんの痛みやつらさを乳房から推察することはできるでしょうか？ "乳房はなぜこのようになり"，"現在はどのような状況で"，"これからどう経過しようとしているのか"という，"乳房の声"[※4]は聴こえるでしょうか？

お母さんの乳房は単独で存在しているわけではありません。お母さんを生活者として，そしてまた社会の一員として暮らしの中にいる一人の女性として迎え入れていただきたいと思います。

アナムネ聴取，記録の前に，人間として，心で感じ，乳房の状況から察することや，何かを感じることもあるはずです。科学的な根拠ばかりでお母さんに向かおうとすると，人間が備え持っている感性をなくします。かといって，経験知だけで語ろうとすると，自身の思い込みにすぎないかもしれません。そこに人間愛がないと，看護者として何かが欠けた支援になるかもしれません。

〈お母さんの力を最大限に引き出すための4つの感じ方と見方〉
- お母さんの身体は，全身が衰弱し疲労困憊している様子ではないでしょうか。
- 衰弱した身体から回復する力を妨げる環境ではないでしょうか。

※4 乳房の声とは，乳房の内部に起こっている現象を現している状態のことです。ホリスティックな考え方に基づいています。

- 育児の負担を1人で担ってはいないでしょうか。家族の協力は得られているでしょうか。
- お母さんの乳房から乳房の声を聴く努力をしましょう。

　例えば「乳汁を出したけれど，出口がなくて困っている。この出口から乳汁が出たら，この現象は赤ちゃんが吸ってくれるだけで解決するのに」「乳首の痛みが強くて，赤ちゃんに十分に吸わせてあげられない。乳首の痛みさえ軽くなれば赤ちゃんに吸わせてあげられるのに」「乳房に張りを感じることでおっぱいは出方が悪いと思われている。たまたま，NNS（非栄養の吸啜）の状態であるだけなのに」というような乳房の声をしっかりと感じ取り，お母さんのできる力を最大限に引き出し，関わりの中で自分が支援できることを検討していただきたいと思います。

お母さん自身が行う「魔法のクチュクチュ」の必要性
―新型コロナウイルス感染予防対策としてのオンライン配信[19]

　2020年4月，新型コロナウイルス感染の蔓延に伴う国からの緊急事態宣言を受けて，BSケアの場面ではお母さんと支援者が密着することを回避できないことから，支援者がお母さんの乳房に直接触れることを一時的に自粛しました。相談窓口がなくなることでお母さんたちが困惑されることは推察できたことから，BSケアによるセルフケア「魔法のクチュクチュ」のオンライン配信を行いました。本書掲載内容をリーフレットに収め，動画も作成し，広く一般公開しました（https://bscare.net/service/selfcare参照）。

　次のような場面で「魔法のクチュクチュ」を活用できます。

①赤ちゃんが乳首に吸着できない・吸着させられない，赤ちゃんが側にいない場合
　　乳首の硬さ，乳首の長短，乳首の大小，乳房の病的緊満，乳輪部の浮腫，授乳時の痛み，赤ちゃんが保育器にいる・NICUに搬送されている，母児が共に過ごせない何らかの事情があるなどの場合があります。魔法のクチュクチュで乳首が柔軟化し伸展性が増すことから，吸着できるようになります。

②乳房に起こる不快や心配に思う事柄があり，母乳を与えられない場合
　　乳腺炎を起こしかけている，乳房に硬結がある，乳房の病的な緊満状態，母乳分泌不足感などがあります。

　「魔法のクチュクチュ」を伝えるタイミングは，母乳育児教育の一環に含み，妊娠中に伝えるとよいと考えます。妊娠中に伝えられなかった場合は，入院中早期もしくは，退院後にオンラインを活用しても伝えることができます。

引用・参考文献
1）水野克己，水野紀子：母乳育児支援講座，南山堂，2011.
2）Weber, F. et al. An Ultrasonographic Study of the Organization of Sucking and Swallowing by Newborn Infants, Developmental Medicine & Child Neurology 28, 1986, 19-24.
3）Woolridge, M. W：The'Anatomy'of Infant Sucking, Midwifery 2（4），1986, 164-171.
4）前掲1），P.27.
5）中村（寺田）恵子，佐藤香代，浅野美智留他：児の母乳吸啜メカニズムに基づく乳房ケア―より快適な母乳育児支援に向けて，第50回 福岡県公衆衛生学会講演集，2003；44.
6）佐藤香代，中村（寺田）恵子，浅野美智留他：児の母乳吸啜メカニズムに基づく乳房ケア 第1報 BSケアの開発，ペリネイタルケア，Vol.22，No.6，P.571～575，2003.
7）佐藤香代，中村（寺田）恵子，浅野美智留他：児の母乳吸啜メカニズムに基づく乳房ケア 第2報 BSケアの理論と実際その1，ペリネイタルケア，Vol.22，No.7，P.674～678，2003.
8）中村（寺田）恵子，佐藤香代，浅野美智留他：児の母乳吸啜メカニズムに基づく乳房ケア 第3報 BSケアの理論と実際その2，ペリネイタルケア，Vol.22，No.8，P.775～779，2003.
9）中村（寺田）恵子，佐藤香代，浅野美智留他：児の母乳吸啜メカニズムに基づく乳房ケア 第4報 BSケアの実践，ペリネイタルケア，Vol.22，No.9，P.863～867，2003.
10）三根有紀子，石橋美幸，佐藤香代，中村（寺田）恵子他：児の母乳吸啜メカニズムに基づく乳房ケア 第5報 BSケア（Care based on the Breast-feeding Infants' Suckling Mechanisms）の有効性～母親へのアンケート結果からの考察，ペリネイタルケア，Vol.22，No.10，P.959～963，2003.
11）メデラホームページ：乳児の吸啜
https://www.medela.jp/breastfeeding-professionals/research/infant-sucking（2022年4月閲覧）
12）NPO法人日本ラクテーション・コンサルタント協会編：母乳育児支援スタンダード 第2版，P.201，医学書院，2015.
13）日本助産師会，日本助産学会編：乳腺炎ケアガイドライン2020，日本助産師会出版，2020.
14）BFHI2009翻訳編集委員会：UNICEF／WHO赤ちゃんとお母さんにやさしい母乳育児支援ガイド ベーシックコース 「母乳育児成功のための10カ条」の実践，医学書院，2009.
15）前掲12），P.270.
16）山本記美代：施設ぐるみでのBSケアの取り組み，妊産婦と赤ちゃんケア，Vol.1，No.1，P.22～30，2009.
17）前掲12），P.275.
18）日本母乳の会編：赤ちゃんにやさしい病院運動実践ガイドおよびガイドライン―周産期医療施設における母乳育児の保護，促進，そして支援；実践ガイド2018 ガイドライン2017，P.25，日本母乳の会，2019.
19）寺田恵子：母親自身が行うBSケアによるセルフケア「魔法のクチュクチュ」の必要性，臨床助産ケア，Vol.12，No.6，P.14～20，2020.
20）前掲1），P.19.
21）前掲1），P.24.
22）水野克己他：よくわかる母乳育児，P.27，へるす出版，2008.
23）寺田恵子：産後早期の褥婦の授乳に影響する乳頭の硬度と長さの検討，日本助産学会誌，Vol.30，No.2，P.268～276，2016.
24）Page LA Ed：The New Midwifery, London, Churchill Livingstone, 2000. 418p.
25）Wolff PH：The serial organization of sucking in the young infant. Pediatrics, 42, 1968, 943-56.
26）Hafstrom M. et al.,：Recording non-nutritive sucking in the neonate. Description of an automatized system for analysis, ACTA PEDIATR. 86, 1997, 82-90.
27）WHO. Protecting, Promoting and Supporting Breastfeeding：The Special role of maternity Services：a joint WHO／UNICEF statement. Geneva, WHO, 1989, 1211p.
28）WHO／CHD. Evidence for the Ten Steps to Successful Breastfeeding, 1998, 118p.
29）Auerbach, G. et al. Breastfeeding and Human Lactation. Vancouver, Jones and Bartlett, 1993, 168p.
30）UNICEF. "Facts for Life". Breastfeeding. 3rd Edition. New York, United Nations Children's Fund, 2002, 39-51.

第 2 章

赤ちゃんの母乳吸啜メカニズムに倣うBSケアの手の型

1 赤ちゃんの母乳吸啜に関与する部分の解剖と働き

乳房と赤ちゃんの解剖生理

赤ちゃんの母乳吸啜には，舌，口唇，歯槽堤，頬（脂肪床があり厚みを持つ），口蓋（硬口蓋・軟口蓋）が関係します（**図1**）[※1]。BSケアでは，舌の役割と口蓋の役割をする指使いがカギとなります。

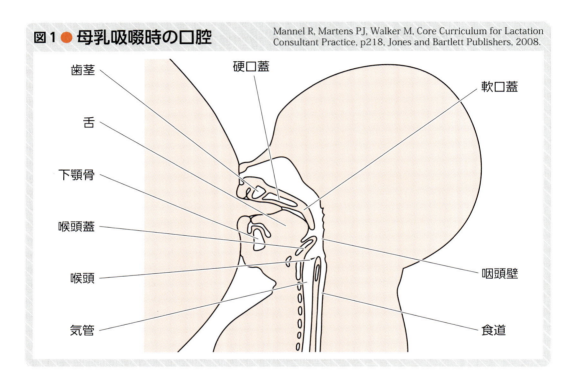

図1● 母乳吸啜時の口腔

Mannel R, Martens PJ, Walker M, Core Curriculum for Lactation Consultant Practice, p218, Jones and Bartlett Publishers, 2008.

乳房の解剖図を**図2**に示します。乳首は，解剖学上，乳頭と乳輪で形成されています。皮膚の内側は平滑筋が占め，乳管が7～10個ほど走っています（**図3**）。平滑筋ですから，内臓と同じような不随意筋です。乳頭と乳輪は複合体であり，乳頭乳輪体（nipple areola complex）と言われています。英語表記では乳首がnipple，乳輪がareola，口唇と舌でとらえる部位はteat（ティート）[1, 2]です。ティートは吸い口と呼ばれます。

乳首全体がティートですから，赤ちゃんは乳輪も吸い口にします。乳頭の形態や

※1 6カ月までの赤ちゃんの口腔は，上下の空間・距離が狭く，口蓋，口唇，頬（脂肪床）で覆われています。硬口蓋は短く，広く，緩くカーブを描き，軟口蓋は，喉頭蓋に近くなっています。こういった特徴から，口腔内容積を舌が占拠しやすく，射乳してきた乳汁を飲み込みやすくなります。

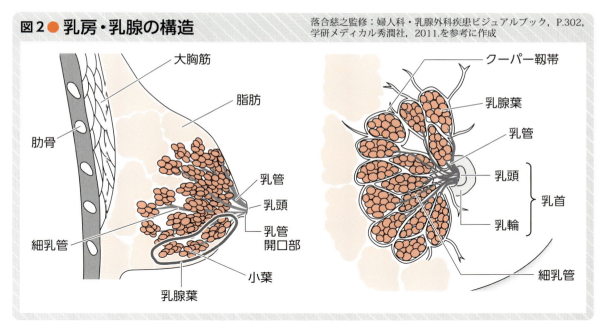

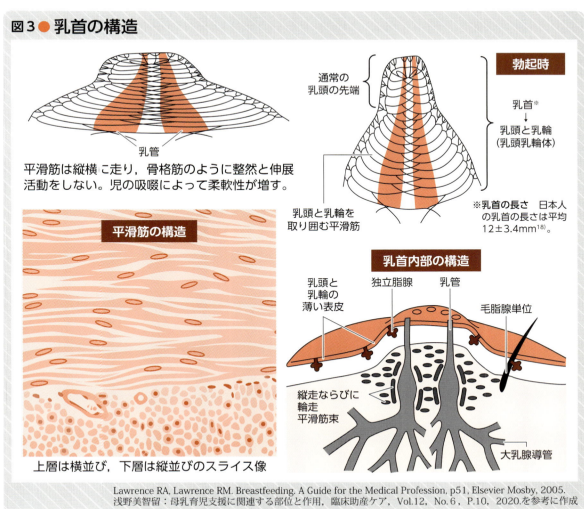

大小は，ティートとして口にとらえられるかどうかに影響しません。乳頭がどんな形態であっても，伸びのよいティートになれば吸着可能なのです。

赤ちゃんは唯一無二の栄養源として乳首と向き合うのですから，形や大きさに関係なく，口の中で乳首に舌をフィットさせて飲もうとするのが当然と言えます。乳首（乳頭乳輪体）を口の中に一度取り込めば，吸着した舌の刺激で平滑筋の柔軟性がさらに高くなり，どんどん吸啜しやすくなります。

舌の先端は下口唇の上まで突き出され，乳頭の付け根に位置しています（**図4**）。乳頭にピタッと密着させて，舌の先端の位置は変えずに舌を波のように動かし，乳頭を刺激して射乳を誘発し，湧いてきた乳汁を飲み込みます。

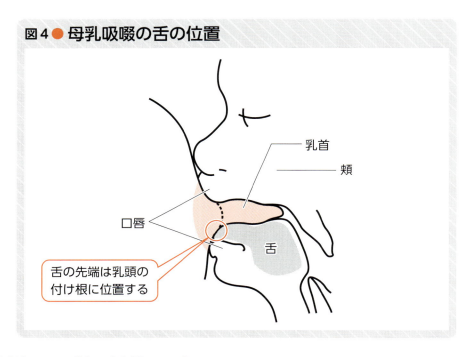

図4 ● 母乳吸啜の舌の位置

解剖生理に倣う技術のポイント

赤ちゃんの母乳吸啜では，口蓋と舌の位置は向き合っているため，口蓋役割の示指と舌役割の母指も対峙します（**図5**）。舌の先端が口唇の先端まで伸びて乳首をとらえることに倣い，舌役割の母指も乳頭の付け根に当てます。BSケアでは，舌役割の母指の先端は位置をずらしません。ずらしてしまうと密着しにくくなり，乳汁ですべりやすくなります。乳頭に対して上下に繰り返し指をずらしたり，滑らせたりすると，乳頭に擦り傷を作ってしまうため，こういったしごく動きは原則的には行いません。

図5 ● 口蓋役割と舌役割の指の位置

口蓋役割の示指が乳頭の縦軸と平行

限定した排乳口の横に口蓋役割の示指と舌役割の母指を向き合わせる

解説 口腔内は密閉状態（舌と口蓋と厚みを持った頬に囲まれた陰圧状態）であり，これに類似するために，指と乳頭は密着しています。口蓋役割の示指は乳頭と同じ方向（口蓋役割の示指が乳頭の縦軸に沿って平行）に立っていることが大切です（**図5**）。口蓋役割の示指が倒れている人が度々いますが（**図6**），これでは，舌役割の母指が乳首に密着してティートをとらえる動きに倣えなくなりますので，口蓋役割の示指をしっかりと立てましょう。

図6 ● 口蓋役割の指の置き方の比較

①**不適切**：口蓋役割の示指が倒れ，乳頭の上に示指が接していない

②**不適切**：口蓋役割の指が倒れている（上から見た図）

③**適切**：口蓋役割の指が立っている（上から見た図）

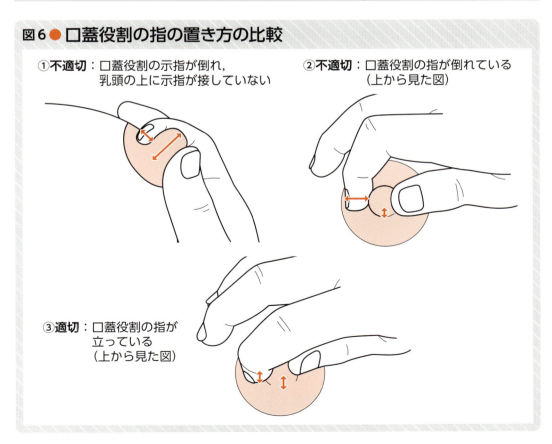

2 舌の動きと吸啜圧

舌の動きと圧のメカニズム

第1章で説明したとおり，英単語ではsuckとsucleは違う意味になり，前者は「母乳を吸う」，後者は「吸う」という意味で使用します。ここではsuck（吸う動き）について解説します。母乳でも人工乳でもsuck（吸う動き）を行いますが，その動かし方に違いがあります。

舌には，乳首を舌で押す動きと，吸う－飲み込む－呼吸の三者がユニットになった動きがあります[3]。赤ちゃんの母乳吸啜についての研究では，舌の動きは，蠕動様，ローラー状，さざ波様などと表現されています。舌の先端は乳頭の付け根にぴったり接して移動しません。3～4カ月には新生児期の蠕動様運動から舌の上下運動に変化します[4]（図7）。そして，上下運動が主体になって，前後にずれることはありません。舌は，口蓋に対してほぼ直角に押し当てます。押し当てる圧点は，前方から後方にある咽頭に移動します[5]。

乳首を舌でとらえて，密閉された口腔内で舌が口蓋に向かって押す動きは陰圧を強めます。口の中の圧は，乳汁を飲み込む時には陰圧が弱くなります。

このような注射器の吸引ではない，圧の変化は**吸啜圧**とも呼ばれています[6]。

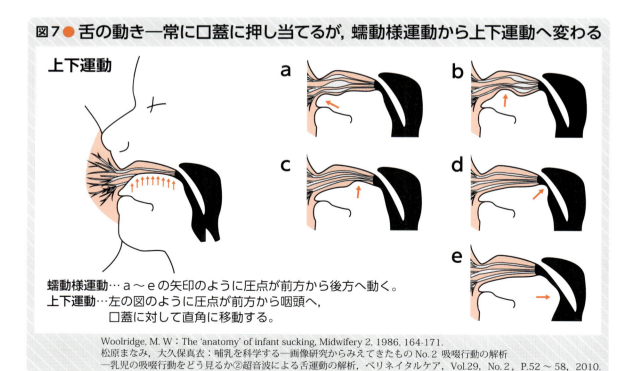

図7 ● 舌の動き―常に口蓋に押し当てるが，蠕動様運動から上下運動へ変わる

蠕動様運動…a～eの矢印のように圧点が前方から後方へ動く。
上下運動…左の図のように圧点が前方から咽頭へ，口蓋に対して直角に移動する。

Woolridge, M. W：The 'anatomy' of infant sucking, Midwifery 2, 1986, 164-171.
松原まなみ，大久保真衣：哺乳を科学する―画像研究からみえてきたもの No.2 吸啜行動の解析
―乳児の吸啜行動をどう見るか②超音波による舌運動の解析，ペリネイタルケア，Vol.29, No.2, P.52～58, 2010.

吸啜圧に倣う技術のポイント

　陰圧は，指と指を近付けようとする動きを強めてつくり出すのではないため，つまみ込まないように注意しましょう。指の動きはあくまでも軽くし，指と乳頭の密着で陰圧を体現します。乳汁が湧くために，口腔内のような吸啜圧を指で体現しましょう。密着がうまくいくと，乳汁で指が滑ることはありません。

> **解説** 蠕動様の動きに倣い，舌役割の指は口蓋役割の指に向かって軽く当てて指を密着させると陰圧を真似できます（**図8**）。

　イメージとしては，口蓋役割の示指に舌役割の母指を小さくロールさせながら軽く押し当てるような動きです。だんだん乳首が柔らかくなるので，母指と示指の先端が近づきます。つまんでいるように見えるかもしれませんが，力を加えずつままないように注意してください。この時，2本の指の間に狙っている排乳口があります（**図8**）。

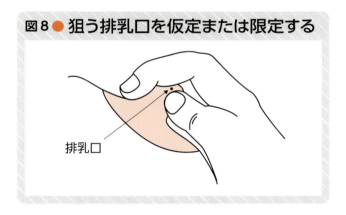

図8 ● 狙う排乳口を仮定または限定する

排乳口

射乳圧と吸啜圧による癒し

　軽い力で排乳口を狙いますが，その刺激は視床下部に伝わります。排乳口の延長の乳腺が反応し，乳汁は自ずと湧いて射乳します。すると，乳房自ら滞る流れを変化させます。この変化を導くのが射乳圧です。射乳する力，あるいはその力の回復をもってして，滞っていた乳腺の癒しが効果的になります。

　射乳してきた時には，より注意を払って狙った乳腺をとらえます。乳汁が流れを止めるような強さで乳頭の先端をつままないようにしましょう。

　また，乳腺を狙わずに無作為にどの乳腺からも排乳（搾乳）をすると，狙った乳腺の期待した反応を導けません。

3 赤ちゃんの母乳吸啜の 2相性リズム（NNSとNS）※2

NNSとNSの違い

　NNS（non-nutritive sucking）は，栄養を摂取しない時の吸う動きのことで，1秒に約2回のsuckを行います。この動きによって乳首に加わった刺激が視床下部に伝わり射乳反射が起こります。このsuckの回数は平均値であり，生後日数により変化するという研究結果[7]があります。NNS様の動きには，射乳を導く，乳頭の形を整える，乳首を柔らかくする，という役割があります（編注：第1章の表1〈P.16〉参照）。

　NS（nutritive sucking）は，栄養摂取を伴う吸う動きであるため乳汁が口に入ります。したがって，乳汁を飲み込む動き（swallow）を伴います。1秒に約1回のペースでsuck-swallow／breathの一連の動きを行います（編注：第1章の表1参照）。

　母乳を飲む赤ちゃんのNNSの陰圧は，哺乳瓶に比べて数段強くなります（生後4～5日で－97.6±10.7＞－74.5±6.9mmHg）※3。先にも述べたとおり，射乳していない時，口腔内の陰圧が強くなります。射乳して陽圧で湧き出す乳汁が口腔内に入ってきて，NSをする時には喉の陰圧を若干緩めます。喉に溜まった乳汁を飲み込むために，少し喉の陰圧を減少させる必要があります。

　<u>乳首から乳汁を吸引したり引っ張り出したりしているのではありません。</u>

NNSとNSの違いによる技術のポイント

　舌役割の母指は，射乳反射が起こるまではNNS様のペースで動かします（1秒に約2回で指を口蓋役割の示指に軽く押し当てる）。射乳反射が起こってきたら，NS様の動きで，陽圧で湧いてくる乳汁を優しく導き出します。複数の乳腺が陽圧になって射乳しますが，大切なのは，癒すべき箇所だけ狙い，陰圧を減少させるような優しい力で排乳することです。赤ちゃんがあえて飲んでいなかったり，赤ちゃんが何とかしようとしてもおなかがいっぱいになったりしてこれ以上は飲み取れ

※2　NNSとNSは，哺乳瓶で観察されたもので，母乳栄養児で明確に区別しにくいものですが，ベーシック編では言及しなくてもケアできます。

※3　哺乳瓶ではNNSはかなり弱く（－27.6±10.4mmHg），しかもNS（－88.6±26.0mmHg）より弱いです。しかしNSの陰圧は母乳より強くなります。すなわち，ゴム乳首をくわえる口腔内の陰圧を強くし，人工乳を出す必要があります。人工乳は母乳のように射乳する陽圧がないため，乳汁を口に取り込むために，陰圧（吸引する力）を強くするのでしょう[8]。

ない※4という箇所を癒すお手伝いができるように，ケアすべき乳腺を選びます。

> 📝 **解説** ケアすべき乳腺を見極める力を養いましょう。

　NNS様の動きの役割には乳首の柔軟化があります。NNS様の動きを続けていると，乳首はだんだん内部の実質がなくなったかのように柔らかくなります。ケアをする様子を見ると乳頭をつまんでいるように見えますが，力は入っていません。舌役割の母指と口蓋役割の示指の中にある乳頭が柔らかくなればなる程，指と指が自然と近付きます（**図9**）。やはり，ここでもつまんだり押し込んだりする力は加えてはいません。乳首は一つの平滑筋なので，乳頭だけでなく乳輪一帯も柔らかくなり，重力で舌役割の母指と口蓋役割の示指が下に沈み込んでいるだけです。押し込む力は加えません。

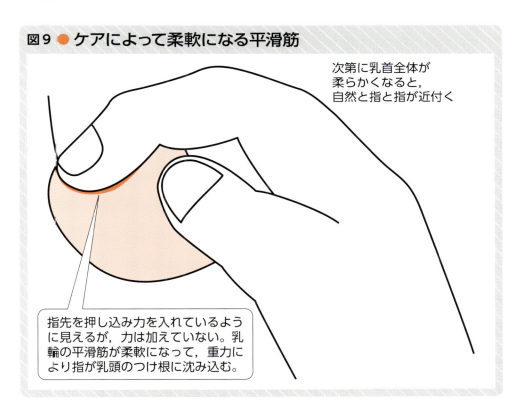

図9 ● ケアによって柔軟になる平滑筋

次第に乳首全体が柔らかくなると，自然と指と指が近付く

指先を押し込み力を入れているように見えるが，力は加えていない。乳輪の平滑筋が柔軟になって，重力により指が乳頭のつけ根に沈み込む。

　射乳の時，NS様の指の動きの圧はより丁寧に加減しましょう。陽圧で勢いよく出る射乳時に，さらに指で乳首をつまみ込み意識的に出そうとする必要はありませ

※4　赤ちゃんは1回の授乳で平均乳房内の67％を飲み取りますので，3割ほどの乳汁が乳房内に残ることが普通です。

ん。赤ちゃんが乳汁を口の中に溜めては飲み，溜めては飲み取るように，射乳の陽圧で乳首の中で勢いを増した流れは指で感じ取れます。赤ちゃんが飲み取りきれなかった箇所の排乳口を狙います。

> **解説** 乳首は，赤ちゃんが飲むことによって伸展性が確保され柔らかくなります。伸展した柔らかい乳頭乳輪体という一つのユニットでとらえれば，乳頭の形状（ティートが突出しているか）は大きな問題でなくなります。ティートが柔らかくなり口に入れば吸着できる，と考えることができます。

技術で気を付けていただきたいことがあります。BSケアを初めて習って実際に行おうとした時に，バイブレーションのような動きや，指を速く動かすことを目標にすると，型が崩れてケアの効果が薄れてしまいます。赤ちゃんが成長するにつれてNNSのsuckの頻度が多くなりますが，口蓋と舌で乳首をとらえる位置関係は変わりません。私たちの指の動きも，慣れれば赤ちゃんのように速く動かせるようになりますので，示指と母指の位置関係を崩さないようにしてください。

同じく気を付けていただきたいのは，5分で飲み終わるという考えでケアをしようとしないことです。「赤ちゃんが疲れるので5分で反対のサイドに飲み変えましょう」とお母さんに説明する支援者は，「NNSをしたら，後はずっと乳汁は出続けてNSで飲み取っている」と考えているのかもしれません。乳汁生成Ⅰ期は射乳が起こる時期ではないし，乳汁生成Ⅱ期になって射乳が起こってきたなら，どのように起こっているのか（診）察する力をつけ，赤ちゃんのお手伝いをできるよう射乳のタイミングを活かしてケアをします。

> **解説**[9] 乳首が柔軟化することは実践的に確認できていますが，その生理学的メカニズムをホルモンから考えることができそうです。リラキシンは，局所の細胞で産生・分泌されるホルモンです。ホルモンというと，脳下垂体や卵巣で産生されるイメージが強いと思いますが，局所の細胞の中でも乳房の組織そのものが合成し[10]，妊娠時に子宮頸部，乳腺，乳首の成長発達・柔軟化を促進すると動物において確認されています[11]。乳首の皮膚にもリラキシンとの結合が確認されています[12]。妊娠中にリラキシンを増やしてお産の時に子宮頸管が柔らかくなる事実から，乳首のリラキシンが乳首を柔らかくするイメージがつかみやすいと思います。

4 母乳吸啜に反応するホルモン

ホルモン分泌を誘発する吸啜刺激

　図4（P.40）のように，赤ちゃんは吸着する時，口唇を上下に開き，舌の先端が突出して，下口唇と連携して乳首をとらえます。乳首をとらえる舌は，歯槽堤を超えて突き出していることが分かります。このように上下に開かれた口唇と舌の吸着に反応して，母体のホルモンが分泌されます（**図10**）。そして，ホルモンによって催乳作用，射乳作用が生じますので，赤ちゃんは乳汁を出そうと乳頭の付け根を舌で押し込んだり，吸い込んだりしていません。

ホルモン分泌を誘発する吸啜に倣う技術のポイント

　赤ちゃんの口唇と舌は上下に開かれて向かい合い，舌先は絶対に乳首を押し上げません。乳頭の付け根に舌役割の指先を押し込むのではなく，口蓋役割の指に向かって軽く押し当てるたびに，乳房は吸啜刺激の疑似体験をします。ホルモンの分泌も潤沢となります。

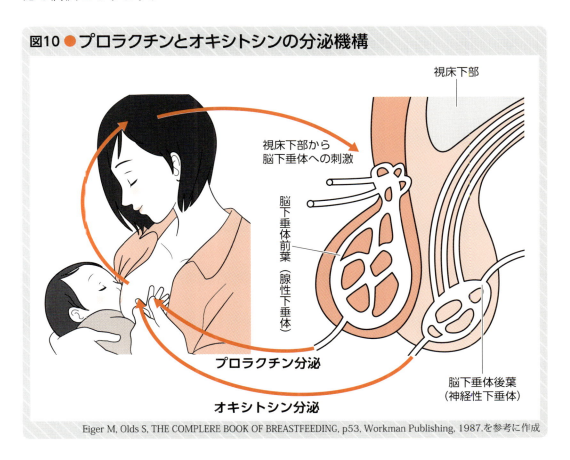

図10 ● プロラクチンとオキシトシンの分泌機構

Eiger M, Olds S, THE COMPLERE BOOK OF BREASTFEEDING, p53, Workman Publishing, 1987.を参考に作成

解説 2005年に乳房の解剖の新しい知見が発表され，乳管の分岐は乳首近くにあり，従来説明されていた乳管洞はないことが分かりました。また，乳腺組織の65％は乳首から3cm周囲に位置しています[13]。存在が否定されている乳管洞部分に向かって押し込むことはしません。舌の先端は乳頭の付け根に位置しますので，舌役割の母指の先端も乳頭の付け根に密着させるのが原則です。乳頭の長さは人それぞれなので，指は排乳口の位置に合わせて置きます。軽い動きではありながら，児の母乳吸啜をまねた指の動きで乳頭が受ける刺激に，乳房と脳（脳下垂体後葉）が反応してオキシトシンが分泌され射乳してくるので（**図10，11**），乳管の途中にある詰まりも押し出されてきます。脳下垂体後葉は神経性下垂体なので，神経伝達のようなパルス状の分泌になるため，射乳のタイミングは一定ではありません。時々勢いよく湧いてきます。私たちが乳首をつまみ，乳汁を搾り出すのではなく，湧いてくる乳汁を待ちます。

　乳房のしこり部分を押して乳汁を出すのではなく，射乳圧を利用して乳管を閉塞させている乳栓を排出します。また，乳房全体を動かすのではなく，乳首だけに働きかけることで，乳房全体が反応し，乳房が自らを癒し回復します。繰り返すようですが，乳房の力を引き出すのです。

2種の下垂体と乳腺房の変化

　母乳吸啜の刺激は視床下部に届けられます（**図10**）。

　吸啜刺激によってプロラクチンが乳汁を産生し，腺房細胞から産生された乳汁は乳腺房の内腔を満たします（**図11－①，②**）。すると神経性下垂体から出るオキシトシンが，神経の反射と似た仕組みで筋上皮細胞を収縮させ，射乳が起こります。射乳反射を，腱反射のイメージでとらえてみてはどうでしょうか。

　射乳反射は，乳腺房内に乳汁が溜まった時に生じる反射なので，射乳を待つことなく，乳管洞と呼ばれていた部位をつまみ込み，搾乳しようと出し続ける指の動きは，乳汁産生→蓄積→射乳の一連の生理的な仕組みには沿っていないことになります。

図11 ● 乳腺房

乳腺房の断面

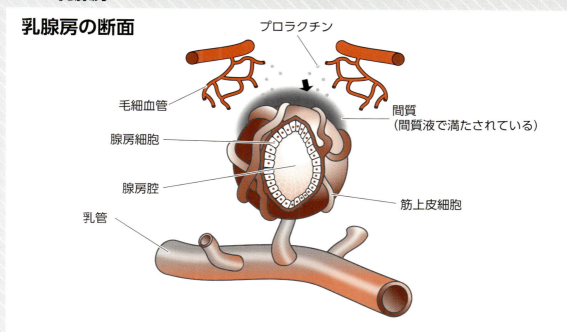

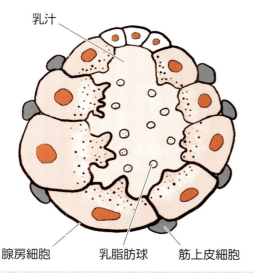

①乳汁を産生する腺房細胞

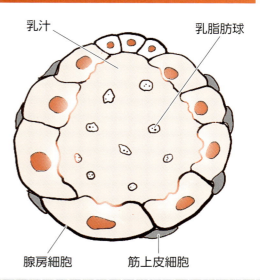

②乳汁が溜まった乳腺房

Watson, CJ. Irvolution：apoptosis and tissue remodeling that convert the mammary gland from milk factory to a quiescent organ, Breast Cancer Res. 2006；8（2）：203.
萩原清文，多田富雄：乳腺組織の秘密，医薬の門，Vol.45，No.2，P.80～81，2005.
L.P. ガードナー，J.L. ハイアット著，石村和敬，井上貴央監訳：最新カラー組織学，P.90，西村書店，2003.
伊藤隆，阿部和厚：組織学 第19版，P.77，南山堂，2005.を参考に浅野作成

5 赤ちゃんの母乳吸啜だけでは解消できない乳管の観察と経験知による判断

　乳房は赤ちゃんの母乳吸啜に反応し，適応しようとし必ず何らかの生体反応を行っています。

　指でNNS様の動きをすると，それに応えて射乳します。その時に，癒すべき箇所を見極めます。乳房をみかんの輪切りのように区切って考え，その延長にあるいくつかの排乳口の中でほかと違う排乳口があるかを観察します（**図12**）。乳汁の色が違っていたり，排乳の仕方が違っていたりしますので，その違いを読み取りましょう。「乳汁の色が濃いから悪い箇所」という限定的な見方ではなく，その乳房にとってバランスを崩している箇所を読み取り，癒すべき排乳口を仮定します。

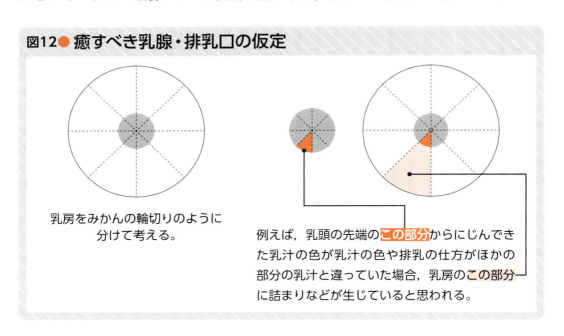

図12● 癒すべき乳腺・排乳口の仮定

乳房をみかんの輪切りのように分けて考える。

例えば，乳頭の先端のこの部分からにじんできた乳汁の色が乳汁の色や排乳の仕方がほかの部分の乳汁と違っていた場合，乳房のこの部分に詰まりなどが生じていると思われる。

　ほかと違う排乳口が見つかったら，その箇所が射乳する陽圧を活かして排乳しましょう。射乳が治まったら，お母さんの訴えがある箇所を触診します。変化していたら，読み取りは正解だったことになります。今まで「ここかな」と**仮定していた排乳口は，限定した排乳口**になります。解決の糸口が見えるまで，限定した排乳口から射乳を活かしながら排乳します。まめに触診して，解決に向かったらケアを終了します。

❻ 母指と示指以外の手

ポジショニングとは違う手指の位置

　赤ちゃんの顎側が飲み取りやすいというイメージが強いのですが，仮定した乳腺側に舌役割となる母指を移動させたり，狙う乳腺に指を当てやすいように座る位置を移動したりする必要はありません。

　用手的にケアする時には，口蓋役割と舌役割の指の間に排乳口を置けばよいだけです。仮定した排乳口の横に口蓋役割の指を置いて自由に乳頭の先端の方向を変え，自分の視野に排乳口を向け，舌役割の指を密着させてケアをします。

　ですから，どの排乳口を狙ったとしても，口蓋役割の指は，主に示指が担います。舌役割の指は主に母指が担います。排乳口が仮定でき的確に指を動かせたら，その延長線上の乳腺が反応します。

射乳を待ち，射乳後に触診

　NNS様の動きで，口蓋役割の指にクチュクチュと軽く押し当てて射乳を待つ気持ちで舌役割の指を動かします。射乳してきたら，狙っている乳腺から出ているか排乳口の反応を確認しながらNS様の動きを行います。

　狙いが正しいか，変化しているか，触診を頻繁に行って確かめましょう。射乳が終わった時は触診の絶好のタイミングです。

両手・指による圧の調整

　ケアを進めるうちに乳房内圧は減少して柔らかくなりますので，排乳したい箇所の排乳圧を維持するために，口蓋役割と舌役割の指以外の8本の手指・手掌で軽く乳房を支えて，排乳圧が効果的に維持するようにします。

〈効果的なケアになるよう排乳口を狙う〉

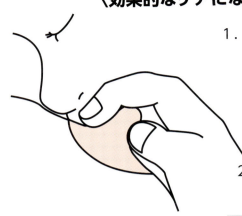

1. 最初は四方八方からNNS様に指を動かす（第3章〈P.68～70〉で詳述）。
   1）乳輪に母指と示指を当てて動かす…NNS様の動き第一段階
   2）乳首が反応して，一度硬くなると乳頭の付け根に指を移動させる…NNS様の動きの第二段階
2. 射乳してきたら，狙う排乳口の横に示指と母指を向き合わせる（左図）。

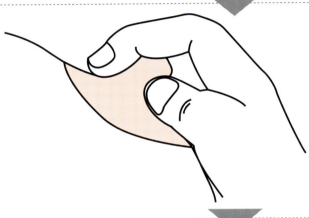

口蓋役割の示指は
乳頭に沿って立ち，
指と乳頭は密着する。

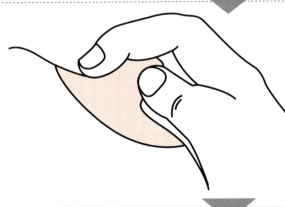

蠕動様の動きに倣い，
舌役割の母指は
口蓋役割の示指に
向かって
小さくロールさせる。
狙う排乳口を
仮定または限定する。

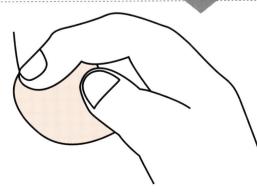

乳頭乳輪体の平滑筋は，蠕動様の動きで柔らかさを増す。
乳首が柔らかいので，自然と指と指が近づき，乳頭の付け根にくい込んだように見える。

7 BSケア習得の要点

型をアレンジすると体を痛める

　今まで解説した内容を熟読し，忠実に型を習得するよう取り組んでみてください。自分の解釈でアレンジしてしまうと，BSケアの効果が出ないだけでなく，腱鞘炎などで腕を痛める，肩がこる，というようなことが起こります。型を忠実に守り，全身の姿勢も整えます。誤った型でケアを行うと体にも支障が出ます。

優しい力にこそ乳房が合理的に反応する

　BSケアのセミナーで優しい力加減を実際に感じると，「こんなに軽くて良いの？」と受講者はおっしゃいます。軽い力でも，NNS様の動きをしていれば射乳は起こります。この力加減の効果を実感すると，BSケアの腕前は一段と向上します。

　時間はかかりません。日ごろ，母乳を飲んだ後乳房はスッキリして癒されますので，赤ちゃんが飲める状態にすることが大きな目的です。常に赤ちゃんを主役にしましょう。その手の動きのメカニズムを母子相互作用や乳房の生理的メカニズムと照らし合わせて習得するか，習得しながら合理的で素晴らしい母子相互作用に納得するか，が上達の鍵です。

射乳や乳房の能動性や変化してきたかを察する

　射乳が起こる時期ではないのに射乳をさせようとしたり，完全解決をしなくてはいけないという思いにかられ過ぎると，乳房の能動性を生かしていないことになります。乳汁の流れが良くなっている乳房の中の現象を（診）察することなく，ケアの終え時を読み取っていない場合もあります。

常に乳房や赤ちゃんの力を主役にできる，自分の思考力

　BSケアのケアリングと技術論は，コインの表裏のように切っても切れない関係です。技術に加え，その技術を使って行うケアリングの思考過程も一緒に研鑽します。

　つまり，手を動かす時にも，どうしてこのような優しい手の動きで乳房が反応するのかを考え，その根拠を理解し，納得できる思考訓練が必要です。これを納得すると，「自分が排乳しよう」とする手の恣意的な動きを手放せます。「自分が乳汁を出す」という手の動きに戻ってしまうと，難しい現象になればなるほど，解決の糸口がつかめません。難しい現象を癒す・回復させる力は，患者さん本人がやる気を

出さないと病気が癒えないのと類似して，乳房にある力を活かすのが一番理にかなっているからです。

　ケアをさせていただいた時に，その目の前の乳房の力，赤ちゃんの力を，お母さんに伝えましょう。お母さんが自分の体に対して持つ自尊感情や赤ちゃんへの畏敬の念が高まります。これこそ私たちが最終的に目指すゴールです。高い技術力は，自分の技術で解決することが主眼なのではなく，目の前の母児の自己効力化というゴールに行くための道具です。ケアリングによる実践は第5章も参照してください。

引用・参考文献
1）NPO法人日本ラクテーション・コンサルタント協会編：母乳育児支援スタンダード 第2版，P.215，医学書院，2015.
2）Mannel R, Martens PJ, Walker M, Core Curriculum for Lactation Consultant Practice, Jones and Bartlett Publishers, 2008.
3）前掲2），P.238.
4）水野克己，水野紀子：母乳育児支援講座，P.123，南山堂，2011.
5）松原まなみ，大久保真衣：哺乳を科学する—画像研究からみえてきたもの No.2 吸啜行動の解析—乳児の吸啜行動をどう見るか②超音波による舌運動の解析，ペリネイタルケア，Vol.29，No.2，P.52〜58，2010.
6）前掲4），P.124.
7）Hafstrom M. et al.：Recording non-nutritive sucking in the neonate. Description of an automatized system for analysis, 82-90, ACTA PEDIATR. 86, 1997.
8）Mizuno K, Ueda A. Changes in sucking performance from nonnutritive sucking to nutritive sucking during breast-and bottle-feeding. p728-731, Pediatr Resurch, 2006.
9）浅野美智留：乳首の解剖生理，BSケアスクール配布資料（2022．2．9）.
10）Lawrence RA, Lawrence RM（2011）：Breastfeeding. A Guide for the Medical Profession, p146, Elsevier Mosby, Missouri.
11）Min G, Sherwood OD（1996）：Identification of Specific Relaxin-Binding Cells in the Cervix, Mammary Glands, Nipples, Small Intestine, and Skin of Pregnant Pigs, Biol Reprod, 55, p1243-1252.
12）Kohsaka T, Min G, Lukas G, et al（1998）：Identification of Specific Relaxin-Binding Cells in the Human Female, Biol Reprod, 59, p991-999.
13）前掲2），P.199.
14）前掲2），P.218.
15）落合慈之監修：婦人科・乳腺外科疾患ビジュアルブック，P.302，学研メディカル秀潤社，2011.
16）Lawrence RA, Lawrence RM. Breastfeeding. A Guide for the Medical Profession, p51, Elsevier Mosby, 2005.
17）浅野美智留：母乳育児支援に関連する部位と作用，臨床助産ケア，Vol.12，No.6，P.8〜13，2020.
18）寺田恵子：産後早期の褥婦の授乳に影響する乳頭の硬度と長さの検討，日本助産学会誌，Vol.30，No.2，P.268〜276，2016.
19）Woolridge, M. W：The'Anatomy'of Infant Sucking, Midwifery 2（4），1986, 164-171.
20）Eiger M, Olds S, THE COMPLERE BOOK OF BREASTFEEDING, p53, Workman Publishing, 1987.
21）Watson, CJ, Involution：apoptosis and tissue remodeling that convert the mammary gland from milk factory to a quiescent organ, Breast Cancer Res. 2006；8（2）：203.
22）萩原清文，多田富雄：乳腺組織の秘密，医薬の門，Vol.45，No.2，P.80〜81，2005.
23）L. P. ガードナー，J. L. ハイアット著，石村和敬，井上貴央監訳：最新カラー組織学，P.90，西村書店，2003.
24）伊藤隆，阿部和厚：組織学 第19版，P.77，南山堂，2005.

第3章

BSケアの
基本の型の技術

1 BSケアの役割

　BSケアは，赤ちゃんの母乳吸啜だけではお母さんの乳房が癒されない時に，支援者の"手指を赤ちゃんの口腔内に例え，赤ちゃんの母乳吸啜に倣って行うケア"です。癒せていない乳腺を仮定または限定をしてケアを行います（BSケアの流れは**図1**〈P.61〉を参照）。赤ちゃんが飲めている乳腺には不要な介入はしません。お母さんが乳房に違和感を感じる時には即座に対応し，できるだけ少ない回数の関わりの中で早期の解消を目指します。優しい力加減で行うことから，痛くなく，どんな現象にも対応でき，"お母さんの心身両面を優しく包み込む"ことができます。
　痛くないのにケア効果が高いことや，必要時に必要な回数だけのケアで済むことから，BSケアの体験をしたお母さんたちに支持されています。また，赤ちゃんの母乳吸啜を中心に据えていることから，お母さんと赤ちゃんの関係を尊重し，"お母さん自身が本来持っている自分でできる力（自己効力感）を尊重し，母乳育児への意欲をエンパワーする"ことができます。母乳育児を管理するのではなく，お母さんと赤ちゃんの力で母乳育児が継続できるような支援を目指しています。

2 お母さんの最優先課題を聴く

　藁にもすがる思いでケアを受けに来たお母さんが求めているのは，"自分の持っている力を最大限に引き出してくれる支援"と，"その場で解消してもらえる温かな手の技"です。一般的にお母さんたちは，「乳房マッサージは痛い」という噂を聞いているためか，来院時には恐怖感を持っている方がいます。産後のマタニティブルーズや育児疲れなどから心身の両面が消耗している場合もあるので，お母さんの心と身体に目を向け，緊張が解けるような温かな雰囲気で迎え入れる必要があります。そして，なぜ来院しようと思ったか，その理由に十分に耳を傾けます。時間的な制約がある場合は，乳房に触れながらでもお母さんの訴えを十分に聴くことができるでしょう。
　ケアに入る前には，お母さんの最優先課題を確認します。"乳腺が詰まって痛む""乳房の炎症症状でつらい""全身症状も伴う""母乳不足感に悩んでいる""赤ちゃんに吸わせたくても吸ってくれない"など，抱えている悩みを話しやすい雰囲気をつくった場にお母さんを迎え入れてください。その後，手を添えて，最優先課題に向かいます。手を添える時には，違和感のある側の乳房から触れ，お母さん自身にも違和感のある部位を指し示してもらいましょう。

3 乳房に向かう・お母さんに向かう

　「乳房に向かう」「お母さんに向かう」とは，乳房に手を添える前に，乳房ケアを求めているお母さんに支援者自身が腰を据えて向き合うことです。お母さんの乳房の現象は，乳房という身体の一部に現れている状態がすべてではなく，お母さんの心と身体，社会環境要因の現れでもあります。お母さんの乳房に触れる時には，支援者としての「人間愛」を手に込めて向かいます。

　お母さんから話を聴く場合は，"お母さんは赤ちゃんへの愛にあふれ，育てる力を持ち，その判断を自分でできる力を持つ人"であるということを見失わず耳を傾けます。自分自身の力で解決できるのか，それとも，一時的に他の人に頼ることが必要な時期で，アドバイスを求めているのかなどを判断します。

　支援者は，一方的な指導は慎み，お母さんの訴えを傾聴し，自分の話題にすり変えないように注意しましょう。母乳育児に対して，全身全霊を傾けて頑張っているお母さんを認め，労をねぎらい，その時のお母さんにとってどのような助言が必要なのかを判断し，必要な情報のみを提供していきます。また，何を困難と感じ，何を解消するためにケアを求めて来たのかを明確にしておく必要があります。

　BSケアを求めて来院したお母さんは，「痛い・出ない・吸わない」ためにどうしたらよいか分からないなど，切実な思いを抱えています。来院前にすでにいろいろな支援者に助言を求めていることも多く，相談する人が変わるたびに異なった答えが返ってくることから，混乱を来している場合もあります。

　お母さんの思いに共感するためには，お母さんの言葉を反復しながら聴くと良いでしょう。反復する場合は単純なオウム返しではなく，その言葉をお母さんが客観的にとらえることができるよう，まるでお母さん自身の思いが鏡に映し出されているようであると感じ取れるように心がけましょう。お母さんは，その鏡を手にしただけで自分自身で解決策を見いだすことができる場合も多いです。お母さんの解決できる力を信じて寄り添っていきましょう。

4 「触れさせていただく」気持ち
〜乳房に触れることの同意を得る

　お母さんの乳房は性器です。他者が勝手に触れることはできません。しかしながら，昭和30年代から当時の法令（厚生省 医発第468号の昭和35年6月13日）により乳房マッサージを独占業務として行ってきた日本の助産師は，乳房に触れることは当たり前ととらえ，助産師には自由に触れる権利があると誤解している人も多いように思います。乳房に触れる前に，お母さんに対して畏敬の念を持ち，支援者としての自分が乳房に"触れさせていただいてもよいか"について確認し，同意を得る必要があります。

　海外では，乳房に触れることをタブーとする国もあります。また，開発途上国では，支援者の手を介して感染源を伝播させる場合もあります。そして日本でも，医療倫理が示され，無危害原則を順守することが当たり前となってきたことから，痛いマッサージが黙認される時代ではなくなりました。

　反面，触れるケアを期待しているお母さんに対して，乳房には触れずに，赤ちゃんへの母乳の与え方だけ指導すればよいと考えている支援者も増えてきたことは事実です。お母さんが乳房に触れるケアを希望して支援を求めて来たのであれば，痛くないケアの方法で，お母さんのニーズを満たす努力をする必要があります。その選択肢の一つにBSケアがあります。

　ケアの際，触れる前に「失礼します」「触れさせていただきます」などの言葉をかけましょう。その時は，優しく穏やかな声で，また，微笑みをたたえた優しい表情でお母さんに向かってください。

5 乳房に触れて看る

　乳房に触れる時には，手をよく洗った後に温かな手で触れます。爪は皮膚に当たらない程度に短くして，乳房を傷付けることがないように注意します。感染予防対策について，施設基準があればそれを順守し，ない場合も必要な対策をとり，お母さん，支援者共に安全に・安心してケアを受けられるようにします。

　まずは，乳房に触れる前に，初・経産，産後日数，授乳開始の有無，授乳回数によって乳房の現象に違いがあることを心得ておきましょう。

産後0〜2日目

　乳汁生成Ⅰ期。乳汁を作り出す準備状態で乳汁生成はわずかです。射乳は起こらないお母さんが多いでしょう。この時期にBSケアの適応となるのは，赤ちゃんがお母さんの乳首を口腔内にうまくとらえられない，お母さんが乳首を赤ちゃんに含ませられない，乳頭の痛みなどで乳首を含ませたくない，赤ちゃんがNICUなどに搬送された，もしくは母体側の理由などで赤ちゃんとお母さんが別々に過ごさざるを得ない，などの場合があります。

産後3〜4日目

　乳汁生成Ⅱ期。乳房に血液・リンパ液などが充満して，乳房全体に張りが出たように感じる時期です。赤ちゃんが産後早期から適切に乳汁を飲み取っている場合は，生理的な充満程度ですが，赤ちゃんが適切に乳汁を飲み取れていない場合や赤ちゃんに与えることができない場合には，病的な緊満状態になっていくこともあります。

　この時期は，母乳を搾り出すことよりも，赤ちゃんが吸えるように乳首を柔軟にすることが大切です。乳房緊満の状態は視診で推察できる場合と，お母さん自身の感覚には違いがあることも多いので，乳房に触れるケアで癒してほしいと思う，お母さんの訴えに対応しましょう。

退院前〜退院直後

　乳房は乳汁生成Ⅱ期からⅢ期へと移行の過程にあります。この時期にすべての乳腺葉から乳汁の流れが促せたら，乳汁分泌量の増加につなげられます。母乳の分泌量増加を目指すのならば，乳汁生成Ⅲ期に移行する直前が，最も重要な時期です。

退院後しばらくたった時期

　産後9日以降になると乳汁生成Ⅲ期となり，オートクリン・コントロールと呼ばれる乳房内局所での乳汁産生のコントロールを受けるようになり，乳房内（乳腺房～乳腺葉単位）から排出される乳汁の量によって局所ごとに決定されます。頻回に授乳し，乳汁を乳房内からより多く排出した方が，より乳汁産生が増加すると言われています[1]。

　赤ちゃんの母乳吸啜だけでは順調に流れることができない乳管からは流れを促し，赤ちゃんが上手に飲み取っている乳管はそのまま見守ります。すべての乳腺葉から順調に乳汁が流れ出ることができ，赤ちゃんの母乳吸啜だけで母乳育児を継続できるように支援することが重要になります。

母乳育児を継続している時期

　母乳育児においては，産後6カ月までは完全母乳で，産後2年くらいまでは母乳育児が継続できるような支援が必要とされています。赤ちゃんとお母さんの力ですべてうまくやっていければ支援は必要ないものの，乳腺炎や母乳不足などが原因で母乳育児を中断してしまう方もいます。お母さん方にとっては気軽に相談できる窓口や，お母さん同士の支援グループが必要とされています[2]。

　支援の窓口となる場合には，お母さんに求められた時にすぐに対応できる「乳房を癒す技」を身に付けておくことが求められます。痛みを感じることなく乳房を癒し，困難な状況を赤ちゃんとお母さんの力で共に乗り切れるような支援者となれるように努力しましょう。

授乳を終える時期

　授乳を終える時期は，お母さん側の理由，または赤ちゃん側の理由で変わります。現在では，赤ちゃん側の視点が尊重され，断乳よりも自然卒乳でという考え方が望ましいとされていますが，決定権の主役は2人（赤ちゃんとお母さん）です。どんな理由にせよ，お母さんの決断を尊重します。

　決断した後のお母さんの乳房は，授乳を終える時期や理由によって反応の仕方はさまざまです。授乳を終えた後は産生される乳汁が抑制できるように乳汁を滞らせる必要があります。乳汁が乳房に長時間貯留すると，FIL（乳汁分泌抑制因子）が働き，乳汁産生を低下させます。その働きを利用して乳汁産生が抑制されるのを見守ります。乳腺葉単位での反応を見守り，ケアが必要な乳腺は選択的に排乳しながら対応し，ケアを終了します。

6 BSケアの基本の型の流れ

図1 ● BSケアの流れ

触診
↓
NNS様の動きの第一段階
↓
NNS様の動きの第二段階
↓
射乳
↓
NS様の動き
↓
乳腺を仮定または限定
↓
触診で内圧の軽減を認める
↓
お母さんが楽になったか確認
↓
ケア終了

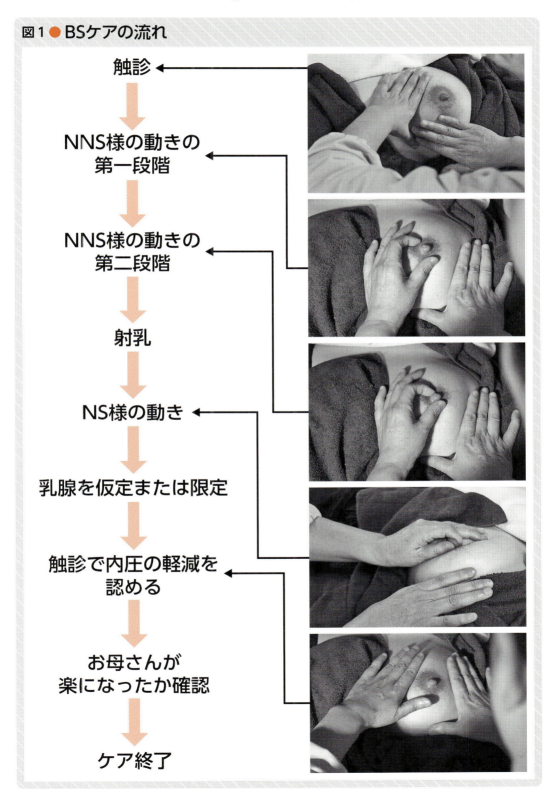

1）触診

〈乳房に触れる準備と手順〉

❶お母さんが感じる乳房の声に耳を傾けます

　乳房の違和感か派生した違和感か，生活全般の環境や精神面から派生したことかを含めて聴くようにします。

　その後，お母さんには，厚手の着衣を脱いで，横になって（横臥して）もらいます。乳房さえ露出できれば，衣類は全部脱がなくてもケアは可能です。羞恥心に配慮して，タオルなどで露出後の乳房を覆います。使用されているブラジャーがワイヤー入りである場合は，締め付けないタイプへの変更を提案します。ワイヤー入りやきつめのブラジャーは，乳房に部分的な圧迫などが加わることで血行を阻害し，乳房への現象を引き起こす誘引となる可能性もあります[3]。やむを得ず着用する時は，短時間にとどめてもらいましょう。乳汁漏れの予防としては，優しく包み込む程度のソフトタイプの乳帯を使用するようにアドバイスします。

❷現象を感じる側の乳房に手を当てます（写真1）

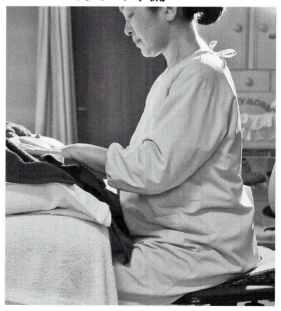

写真1 ● BSケアの準備

　「私が今から何かしてあげますよ」というような大人のおせっかいな手ではなく，あくまでも赤ちゃんのしぐさを倣うような手になって，お母さんに触れます。お母さんが大好きな赤ちゃんの口になった手ですから，手を添える時に，支援者自身の体重を乗せないように注意します。

❸違和感のある部位をお母さんに指し示してもらい確認します

　お母さんは，石のような塊，筋状の固さ，しこりはないけれど痛みがあるなど，さまざまな感じ方や表現で違和感を表します。支援者は，どのぐらい前からそれを感じたのか，いつからそれを自覚するようになったのか，感じる前に全身症状はなかったか，赤ちゃんの吸い方は穏やかだったかなどを確認します。

　例えば，赤ちゃんが乳首を吸いながら「ウンウン」「フニャフニャ」と声を出したり，吸いながら乳首を引っ張ったり，噛んだり，突然"チュッパ"と離して泣き

出したりしなかったか，また，お母さんの現在の全身の状態は，発熱や頭痛はないか，吸わせる時の痛みなどはなかったかを確認します。そのほか，産後の環境はどうか，安静が保てているのか，家族の支援はあるのかなど，乳房の現象にとどまらず話を聴く努力をしましょう。しかしながら，お母さんにとって，質問攻めのアナムネ聴取にならないように配慮し，必要な情報量にとどめ，自ら語り出せるような雰囲気づくりに努めます。

❹お母さんとの人間関係がつくれるように準備をします

ケアをしてあげる姿勢ではなく，お母さんが安心してケアを受けることができるように準備します。お母さんの緊張が解けて緩むように，ケアする乳房側の腕を支援者の大腿部の上に乗せます。支援者とお母さんの肌と肌の温かさが交流することで，お母さんに安心感をもたらします。またお母さんの脇の力が緩むことで警戒心も解けます。ケア中に眠くなったら眠ってしまってもよいことを伝え，リラックスを促しましょう。

❺タオルを3本用意します（図2）

母乳は体液の一部であるため，できるだけお母さん自身のタオルを使用します。

1本目は，お母さんの顔との境と，反対側の乳房を覆います。射乳時に乳汁がお母さんの顔に飛び散る場合に覆うために顔の周りに置きます。また，片方の乳汁が流れ出る時に乳汁で衣服を汚染しないための吸水用としても使用します。2本目は，乳汁が乳房の脇に流れ落ちて衣服を汚染しないように，タオルの端をお母さ

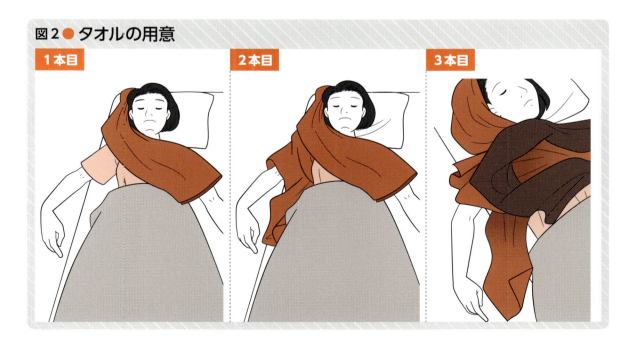

図2● タオルの用意

の脇に挟みます。3本目は、乳汁を吸水するために、乳房の周りに置いて使います。お母さんの切実な思いは十分に傾聴し、ケアの準備は慎みます。

❻ケアをする時の体勢（写真2）

支援者自身の身体に負担がかからないような体勢をとります。足幅は肩幅程度に開き、足の裏に重心を置いて坐骨で支援者自身の上半身の体重を支え、背筋を伸ばしてやや前傾し肩の力を抜きます。その上で、手がフワッと乳房に触れるように手を置き、両腕の脇を緩め、肘は軽く開き気味にしましょう。手首の関節を柔らかくして、力を抜いた10本の指で優しく乳房に触れます。腱鞘炎や肩こりを起こさないように、手に無駄な力が入っていないかを確認します。

❼乳房に触れて、乳房の現象を推察します（乳房の声を聴きます）（写真3）

温かな空気でお母さんを包み込むような気持ちで向かい、羽毛を乗せるような軽さで乳房にフワッと手を置きます。乳房の内部を推察しながら、10本の指の第2関節付近で乳房全体をなでるように触れて、内圧の高まりや硬結の状態を確認します。乳房の内部に波動を起こすように優しく手を移動させ、乳腺葉ごとの内圧の違いを確かめます。正常な乳腺葉か、内圧が高い乳腺葉か、または硬結か、乳汁のうっ

写真2 ● ケアをする時の体勢

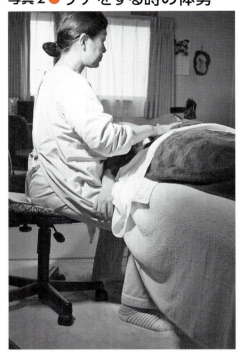

写真3 ● 触診

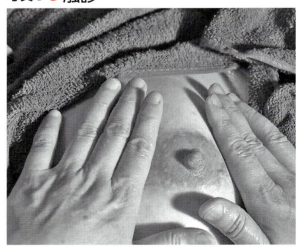
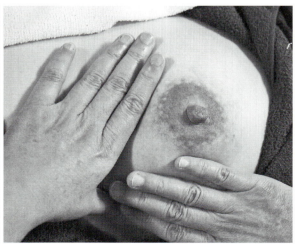

滞かなどを判断します。

　経験知が少ない間は正常な乳腺葉と硬結の違いが分からない可能性が高いですが，その場合はケア後の結果で判断します。乳房全体の張りは，生理的な乳房の充満，病的な緊満，分泌過多の場合の乳房の緊満，腫瘤や腫瘍が潜んでいる緊満など，多種な状況が現れてきます。最初は判断できない場合も多いので，ケア後の経過を見守りながら学びを深めていくように努力しましょう。

　乳房はお母さんの身体の一部ですが，お母さんは自覚していなくても，乳房自体が声を上げていることもあります。

　例えば，

1お母さん…「おっぱいが張らないので，あまり出ていない気がします。赤ちゃんは泣いてばかりいるので何回も吸わせています。しかも，吸う時間が長く，5分で左右を変えたくても離さないし，20分以上も吸っていることが多くて…。だから，多分あまり出ていないと感じます」

　乳房…「母乳はこんなに出たがっているのに，お母さんはおっぱいに張りがないからと期待してくれないのです。もっとおっぱいを信頼してもらいたいのですが…。赤ちゃんは，おっぱいの状態を分かってくれているので，何分間でも飲み続けます。お母さんは，与える時間を片方5〜10分と決めているようで，時計で測りながら与えていますが，赤ちゃんは，長く吸ってくれようとしています。母乳は射乳の都度にしか出せないので，時間がかかります。まだ出したくても，吸わせる時間に制限があると，おっぱいは十分に活躍できません。あまり期待されていないのであれば，期待されない状況に適応しようとしていました」

2お母さん…「おっぱいの一部が詰まっているようで，硬くて痛くて赤ちゃんに飲ませても硬い部分が取れません。赤ちゃんはそんなおっぱいを嫌がっているようで，そっくり返って泣いたり，引っ張ったり，噛んだりします。こんなに嫌がるおっぱいを与えるのはかわいそうで…」

　乳房…「硬い部分からの乳汁を出したかったのに，出口がなくて困っていました。赤ちゃんはお母さんに異変を知らせようと，おっぱいの前に顔がくると『これはどうにかしないと…』と，後ろにのけぞって泣いてくれていました。しかも，飲む時に乳首を歯茎で噛んで，詰まりを押し出そうとしてくれていました。赤ちゃんは頑張ってくれましたが，赤ちゃんが吸う力だけ

では解決できなかったのです。そうなると赤ちゃんはますます泣くので，お母さんはおっぱいを嫌がっているととらえたようでした」

　このような場合には，私たちは，お母さんに乳房の声と赤ちゃんの声を代弁して伝えていく必要があります。"乳房の声を聴き，乳房（乳房・乳腺・乳管・乳汁）と対話しながら乳房を癒す"ことがBSケアの大切な役割となります。お母さんへは，乳房から聴こえた乳房の声を伝えるだけでよいのです。それによって，お母さんは潜在的な思いはあったけれど，自信を持つことができなかった自分の乳房への信頼を取り戻すことができます。また，射乳を目の当たりにすることで，「こんなに出ている！」と，自信を持つことができます。

　母乳分泌不足感に悩むお母さんには，お母さんの自信を取り戻すために乳汁をお母さんの顔に飛散させてみることも有効な場合があります（本来，BSケアでは必要以上の排乳はしませんが，この場合のみ意図的に排乳させます）。工夫しながら乳房の声を伝えることで，お母さんは自信を持って母乳育児に取り組むことができるようになります。

2）乳房に添える手

　利き手の母指球付近で乳房を軽く支えます（**写真4，図3**）。乳房が少し中央に寄る程度の支え方です。母指球は大胸筋と乳房の境目付近に置き，乳房実質をつかまないように配慮します。手を添える時は，痛みを伴わないように添え，位置や強さなどを確認します。力強く押したり乳房を動かしたりはしません。

写真4● 乳房に添える手

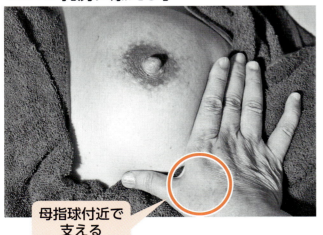

母指球付近で支える

図3● 母指球

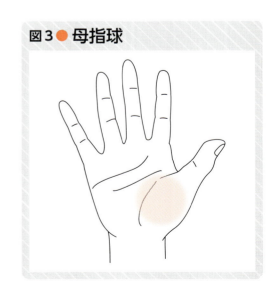

ケア時は，お母さん自身の乳房から感じる，乳房の声を聴きます。乳房の緊満が強いと，乳房全体の可動性が悪いと感じるでしょう。しかし，乳房全体は動かなくてよいので，押し付けないように配慮し，優しい力で痛みが伴わないように添えます。

解説　乳頭・乳輪に触れる手

　利き手ではないもう一方の手の母指と示指を赤ちゃんの口唇に例え，赤ちゃんのかわいい唇になったつもりで，優しく乳輪外側に置きます（**写真5**）。乳輪に触れる時は，お母さんの表情やため息をついたり手を握り締めたりしていないか，足が突っ張っていないかなど，手足の動きにも注意し，痛みを我慢していないか察知します。また，痛くないか，何度かお母さんに確認します。乳房の現象の状態や産後日数によって，痛みを感じる力加減は変わります。お母さんに直接感想を求めることでお母さんにとっての痛くない力加減を知るきっかけになります。

　乳房全体の強い緊満に伴い乳輪部に浮腫がある場合は，ソフトなタッチで手を置いても痛みを感じることがあります。乳首の傷がひどい場合も同様です。その場合は，乳輪の周囲にふんわり置いた母指と示指の位置を乳輪に沿って少しずつ変えることを1～2周繰り返します。指を置くだけで，腫れ上がった乳輪の浮腫が軽減し，乳輪に少し皺ができ，触られる痛みは和らぎます。その動きを続けていると，次第に乳輪に置かれた手の痛みを感じなくなるでしょう。

写真5● 乳輪に触れる

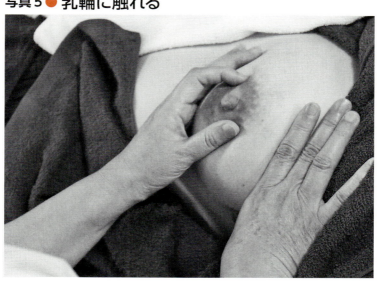

3）赤ちゃんの母乳吸啜をイメージしたNNS様の動き

　ソフトタッチでNNS様の動きを始めます。最初のタッチは特に慎重に優しく行います。お母さんの表情の変化に注意しながら，痛くないか確認しながら行います。NNS様の動きをしばらく行うことで，乳頭・乳輪がふわふわになり，赤ちゃんが吸啜しやすい状況になります。

　赤ちゃんはお母さんとおっぱいが大好きです。赤ちゃんの大切なおっぱいを触らせていただいているという自覚を持って触れましょう。乳汁を排乳することを第一目的にはしません。赤ちゃんが吸いやすい状況になるようにと願いを込めて，ひたすら，指を1秒に2回程度動かします。最初の力加減は，支援者とお母さんの信頼関係が構築できるかの決め手となることもあります。ケアによって痛みを味わうかもしれないという緊張感と恐怖を払拭し，お母さんの全身が弛緩することを見守ることが大切です。

●NNS様の動きの第一段階

　NNS様の動きとは，1秒に2回程度のリズムで優しく指を動かすことを言います。母指と示指を乳輪部の外側に置き（乳輪部からはみ出さないように），NNS様の動きで，お母さんが痛いと感じない力加減を保って，指を動かします。乳輪の幅が広い方は，乳頭と乳輪の中間くらいの位置に指を置きます（**写真6**）。

写真6●NNS様の動き〈第一段階〉

●NNS様の動きの第二段階

　NNS様の動きで刺激を受けた乳首は，10〜30秒前後で乳頭・乳輪が一体（乳頭乳輪体）となり突出を始めます。すると，母指と示指は必然的に乳首の付け根に移動します。平滑筋で構成された乳輪はいったん硬くなりますが，乳首の付け根で

NNS様の動きを続けましょう（**写真7**）。すると，乳首全体が柔軟性を増して，ふわふわになってきます。そうなるまで根気強く行います。

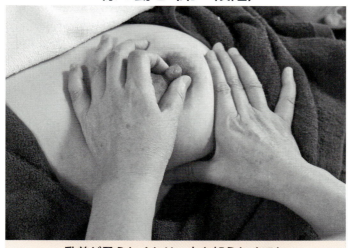

写真7● NNS様の動き〈第二段階〉

乳首が柔らかくなり，力を加えなくても母指と示指が乳輪のきわに移動する。

解説　NNS様の動きで起こる乳首の変化

乳頭乳輪体は平滑筋で覆われている。NNS様の動きによって末梢循環の血行が良くなり，リラキシンの作用でふわふわになる（P.46参照）。

▶乳頭と乳輪を合わせて乳首と言う。

▶乳頭・乳輪が一体（乳頭乳輪体）となることで，吸い口（ティート）となる。

NNS様の動き（1秒に2回程のソフトな刺激）

↓

平滑筋の収縮で乳首が突出

（乳輪にしわ・乳首の硬直）（編注：第2章の図3〈P.39〉参照）

知覚神経の刺激で反応

↓

乳首の柔軟化／わずかな乳汁の排泄

↓

乳管に乳汁が流れ込み，乳管が膨張

↓

NNS様の動きで射乳（乳汁生成Ⅰ期は後陣痛・悪露の増加，乳汁生成Ⅱ期以降は射乳反射が見られる）

乳腺房を取り囲む筋上皮細胞が収縮することで，腺腔内にある乳汁が細乳管内に噴出する。細乳管は集合して太い乳管になる（**図4**）。隣接する乳腺葉とは連絡しない

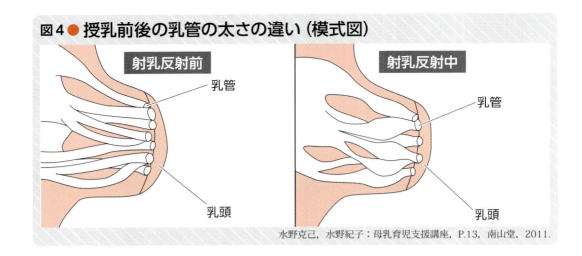

図4 ● 授乳前後の乳管の太さの違い（模式図）

水野克己，水野紀子：母乳育児支援講座，P.13，南山堂，2011.

　産後日数や赤ちゃんの頻回授乳の状況で，射乳のタイミングは，差があります。乳汁生成Ⅰ期では，射乳はほとんど認めないことも多いです（個別差あり）。乳汁生成Ⅱ期の後半から乳汁生成Ⅲ期に入ったお母さんは，多くは1分程度で，乳汁生成Ⅲ期の場合は早ければ20秒程度で射乳が起こります（個別差あり）。人為的に強い力で射乳を起こそうと思わないようにしましょう。

さくら子：ケア時間の関係で射乳が起こらない場合はどうしたらよいでしょうか。「はい，時間になりました」と終了してしまってもよいのですか？

えみ先輩：産後日数や授乳の状況によって，射乳の起こり方の違いは大きいわよね。しかも，射乳が実際に起こらなかった場合はどうしたらよいのか，考えるわよね。でもね，射乳を導くだけがBSケアではないの。射乳がないままケアの時間が終わったとしても，ケアの効果がなかったということではないのよ。

さ：えっ，それってどういうことですか？

え：ケア前よりも，乳首は確実に柔らかくなっているわよね。それはね，赤ちゃんにとってはケア前の乳首よりもケア後の乳首の方がとらえやすくなり，効果的に吸着できるように変化しているってことなの。その後，赤ちゃんの力でお母さんの乳房に変化を起こしていくので，射乳がなくてもよいのよ。ケア後に赤ちゃんが適切に吸着できているかを確認し，必要ならば赤ちゃんへの含ませ方を伝え，お母さんの不安に寄り添うことで，母乳育児への意欲をエンパワーメントできるわ。ケアの技能が高まれば，赤ちゃんの母乳吸啜と同じように射乳を起こせるようになるわよ。

●乳汁の流出と射乳を導く間

射乳までに時間がかかっても，NNS様の動きをひたすら繰り返します。そうすると，乳頭の先端から「もう我慢できない」という感じで，乳汁の滲みと飛散（射乳）が始まります。その間，根気強くNNS様の動きを続けないと，射乳は呼び起こせません。

●乳管1本・乳汁1本との対話

射乳の前に，乳汁がにじみ出ます。乳汁がにじみ出てきたら，排乳口の乳管1本1本から流れ出る乳汁の色，粘稠度合い，乳管の出口の状態に注目します。併せて，触診時の乳腺葉の内圧が高い部位との関連をアセスメントします（図5）。白

斑がないかなども確認し，現象の原因である乳腺を仮定または限定します。乳管の太さは1mm程度ですので，現象の部位を，明確にできる場合とできない場合があります。また，射乳が起こらないと，どこに排乳口（乳管口）があるのかは，目視できないこともあります。乳管が閉塞している場合は，当然ながら乳汁はにじみ出ません。

そのような時は，乳腺葉の内圧が高い部分や硬結の延長線上に現象の原因となる乳腺があるかもしれないと仮定して，意識的にその延長線上からの排乳を試みます。乳管が閉塞している場合は，射乳時に乳首（乳頭乳輪体）にある乳管1本の内

図5 ● 乳房を分けて考える

最初ににじんできた乳汁の色を確認
全体とバランスを比べ違っている乳汁・乳腺を覚える。

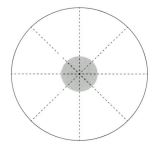

乳房をみかんの輪切りのように分けて考える。

排乳させたい乳腺の位置
指の角度，疲労などの調整のために，指の役割や位置は変える。

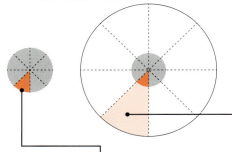

例えば，乳頭の先端のこの部分からにじんできた乳汁の色がほかの部分の乳汁と違っていた場合，乳房のこの部分に乳汁のうっ滞などが生じている可能性があると思われる。

部に膨れ上がった部分や筋状に硬くなった乳管を指先に感じることもあります（**図4**〈P.70〉）。ケアする母指の指先に全神経を傾けるようにしましょう。

> **解説** 閉塞や狭窄を起こしている乳腺を仮定する場合は，乳房を**図5**のようにみかんの輪切りにたとえ，しこりのある延長線上の乳頭も同じ輪切り部位の延長線上にあるとみなして排乳を試みます。ただ，乳管がスパイラル状になっていることもあるとのことから，時にはみかんの輪切りの延長線上からは，外れることもあります。

●NS様の動きへの移行時期

産褥早期（乳汁生成Ⅰ期からⅡ期の移行期・Ⅱ期の始まり）には，射乳状態は確認できないこともあるので（射乳を導けるか否かは手の型の体得過程の差や経験症例数による差が大きい），その場合はNNS様の動きのみとなります。射乳がなくとも，乳首はふわふわに柔らかくなります。

射乳が起こる場合には，射乳の勢いが増すまでNNS様の動きを続け，勢いが増したら，射乳の力を利用してNS様の動きで排乳します。

> **解説** 産後早期は，1〜2本の射乳から始まります。そして数秒後，3〜4本，その後5〜6本と連なります。全体の乳管からある程度射乳が起こるまでNNS様の動きを続けます。わずかな射乳で乳腺の限定にこだわると排乳するための圧が低くなり，うまく排乳できない場合があります。必要以上の排乳はしませんが，限定した乳腺からの排乳のためには射乳の勢いを利用します。

〈BSケア中の射乳までの時間をストップウォッチにて測定した結果〉

	現象	初経産	産後日数	射乳までの時間（右）	射乳までの時間（左）
A	吸着困難	0－P	3日目	90秒でにじむ	90秒でにじむ
B	吸着困難　特に左	2－P	4日目	80秒（1分20秒）	100秒（1分40秒）
C	吸着困難（右）	0－P	9日目	60秒	25秒
D	しこり　特に右	0－P	10日目	90秒（1分30秒）	60秒
E	吸着不可　搾乳器使用中	0－P	13日	290秒（4分50秒）	300秒（5分）
F	しこり　特に左	0－P	17日	35秒	40秒
G	乳腺炎	0－P	32日	直ちに	直ちに
H	乳腺炎	3－P	1年3カ月	直ちに	直ちに

4）赤ちゃんの母乳吸啜をイメージしたNS様の動き

　射乳が起こったら，口蓋役割の示指と舌役割の母指にて1秒に約1回のリズムで，蠕動様運動をイメージしながら，仮定または限定した乳腺からの排乳を試みます。現象がある乳腺から集中的に排乳させます。排乳したら触診に戻り，内圧の変化を確認します。

　"仮定または限定した乳腺からの排乳→内圧の高い乳腺葉の触診→排乳→触診→内圧の低下…"を繰り返します。この時に，中心に据える乳腺に意識を置くことが大切です。ほかの乳腺から全く排乳させてはいけないということではありません。

　乳房全体の緊満が強い（病的な緊満の）場合は，ある程度全体から排乳させ，乳房全体の内圧を下げます。内圧が下がることで，潜んでいた硬結が浮き出てくることがあります。硬結が確認できたら，その乳腺の延長線上から続けて排乳します。

●選択的排乳—乳腺の仮定から限定

　射乳が確認できたら，現象の起こっている乳腺（赤ちゃんがうまく飲み取れていない乳腺）からのみ排乳するように努力します（**写真8**）。赤ちゃんが上手に飲み取れている乳腺からは無駄に排乳しません。必要以上の定期的なケアにより，無駄な搾乳の弊害であると言われる人為的な分泌過多を招かないように注意します[4,5]。排乳しながら何度も触診を繰り返し，現象が解決しているか確認しながら行います。また，お母さん自身にも触診してもらい，硬結や痛みが軽減したかを確認してもらいます。

　わずか直径1mmの乳管に起こった現象ながら，お母さんからはその乳腺からの痛みを感じ，「そこです！　そこから出してください」という言葉が出ることもあります。お母さんの乳房からの声の感じ方を信じ，訴えに慎重に耳を傾け，それを頼りに排乳しましょう。

　目的の乳腺から排乳できたら瞬時に硬結が消失する場合と，そうではない場合とがあります。排乳できていると確信できた後には，その後赤ちゃんに吸ってもらうことで完全解

写真8●乳腺の限定

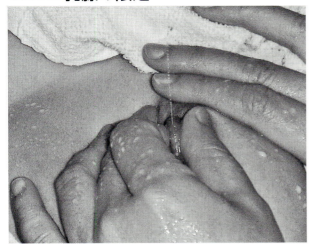

決を目指します。そのためには，赤ちゃんの母乳吸啜だけでは癒すことができなかった乳腺が，自らの力で癒せるところまでは確実にケアします。

乳汁がうっ滞していた場合や乳腺炎時の乳汁は，Na濃度が上がり，べたついたり，ヌルヌルした手触りになる場合もあります。お母さんの食事が原因でそのような手触りになるのではなく，乳汁の成分の変化によることが多いです。ケア中またはケア後の乳汁にべたつきを感じた場合は，現象の乳腺にヒットできた可能性が高いため，触診で内圧の変化を確認しましょう。

5) 触診

仮定または限定して排乳した乳腺葉の内圧を触診にて確かめ，内圧が下がっているかを確認します。内圧に変化を認めない場合は，違う乳腺からの排乳を試みます。

6) お母さんが楽になったか確認

触診にて内圧が下がったと判断できたら，ケア内容を説明した後に，お母さんにも触診してもらい不快感や違和感が軽減したかを確認してもらいましょう。

7) BSケア終了のタイミング

BSケア終了のタイミングは，お母さんが違和感を感じる乳腺葉の内圧が下がり，楽になっていると感じた時です。しかし，支援者にも時間と気力の限界があります。完全解決したと判断できなくとも，後は赤ちゃんの母乳吸啜に任せれば解決すると思える"大体解決"したという時点でケアを終えることもあります。例えば，完全解決しておらず，乳汁のうっ滞や硬結が残ったとしても，ケア前に比べて乳首は柔軟になっており，赤ちゃんの適切な吸着により改善が望めるのであれば，その後の赤ちゃんの母乳吸啜で完全解決に至る場合も多いことをお母さんに説明します。必要があれば，セルフケアによって授乳前に乳首を柔軟にすることを提案し，その時点を終了のタイミングとします。

赤ちゃんの母乳吸啜による変化を加味した上でもケアを継続した方がよい場合は，次回のケアまで期間を開けずに継続ケアに臨みます（できれば翌日）。臨床上はいろいろな場面があります。たとえ数分しかない場合も，時間がないからBSケアはできないと諦めず，お母さんの心身両面を受けとめ，手を添えて，痛くないケアをしていただきたいと考えています。

7 基本の型の限界

　基本の型（ベーシック）は，赤ちゃんが穏やかに飲む行為に倣ったケアの技術です。基本の型で現象が解決しない場合は，特殊な型（噛んだり，引っ張ったり，のけぞったりして飲む飲み方に倣った方法）でのケアを試みます（「特殊な型」については，『BSケア 特殊な型』で紹介）。

「痛くないケア」の限界

　BSケアは，支援者の乱暴な力によって与えられる痛みを感じることはありませんが，まったく痛くない，無痛ということではありません。乳腺炎や白斑などの現象がある時や，乳管を閉塞している乳栓が乳管に比して大きい場合は，赤ちゃんの母乳吸啜時に痛みを伴います。そのような場合は，BSケアでも若干の痛みを伴うことがあります。それは，乳房の現象から感じる痛みだからです。

　いずれにしても，人為的で乱暴な力による痛みは伴いません。現象のある乳腺が解消すればその痛みは瞬時に消えることを説明し，優しい力加減で時間をかけてケアする必要があります。

しこり（乳房内の硬結）の除去の限界

　"しこり"の原因はいくつか考えられます。例えば，乳管閉塞による乳汁のうっ滞，乳腺炎後の乳腺葉の硬結や間質の硬結，妊娠前から存在していた良性の腫瘍や腫瘤，前回の断乳後の線維化した乳腺，悪性の腫瘍などです。推察される原因に合わせて今後の現象の変化を伝えておく必要があります。

　乳汁の成分からつくられた乳栓が原因の硬結の場合，BSケア直後や翌日にも同じ状態を繰り返すこともあります。BSケアは，乳栓を排除することはできても，乳栓ができない身体にすることはできません。そのような場合には，食事を含めた生活全般の見直しの提案が必要な時もあります。

　乳腺炎の時は，炎症部位の乳腺から排乳できていれば，乳腺葉の硬結が残っていると感じても，1週間程で改善します。それまでは，炎症によってNa濃度が増した粘稠度の高い乳汁が，べたつきのない乳汁になるまでケアを続けると，硬結は次第に消失します。

　硬結が乳汁によるものならば対応できますが，良性の腫瘍・悪性の腫瘍である場合はBSケアでは対応できません。

乳汁うっ滞以外の硬結の可能性がある場合は，硬結を感じたのはいつからであるかを確認します。妊娠前からなのか，それとも妊娠後か，産後の早い時期か，出産の数日前かなどを十分に把握した上で，BSケアで対応できるのかどうかを見極めましょう。支援者一人で抱え込まず，医師と情報を共有することも大切です。ほかの医療機関との連携が必要になる場合もあります。特に悪性の腫瘍が疑われる場合，医師の診断を仰ぐ時期を逸しないことは責務と考えます。

乳腺炎による膿瘍化

　お母さんがBSケアを受けに来るまでにどのような経緯をたどり，どの程度の時間が経過したかにより，膿瘍を形成していることもあります。特に，激痛を伴う乱暴な乳房全体のマッサージを受けている場合，乱暴なマッサージが外傷を与えるきっかけとなり，組織が打撃を受け膿瘍化することも否めません。膿瘍化した場合，膿瘍が乳管から排乳できない粘稠度の高いレベルの乳汁となっていることもあります。そのような場合には，BSケアでは軽快しないこともあることを説明し，同意を得た後に乳房に触れさせていただくようにしてください。

　BSケアにおいても，インフォームドコンセントは欠かせません。現象の経過次第では医師と状況を共有し，医療と連携することが必要になります[6]。仮に，外科的な処置が必要であっても授乳は可能で，昨今は完全断乳という状況は避けられる場合も多いので，処置の後も見守り，再発防止に努めることが必要です[6]。

BSケアでの対応への限界が疑われる場合

●ケア間隔

　現象が一度で解決できない場合は，ケア間隔（次の予定）は短い方が望ましい（できれば翌日）です。一度のケアで諦めず，繰り返しケアを行う必要があります。赤ちゃんが効果的に飲んでくれない場合は，授乳後の搾乳が必要な場合もあります。ケア後に効果的に飲めているか確認して，上手に飲めていれば赤ちゃんの力を信じてケアを継続しながら見守りましょう。

●全身状態

　乳栓が繰り返し形成される体質の場合，全身のケアを検討する必要が出てきます。乳栓の排泄はBSケアで可能ですが，乳栓ができない身体にはできません。その場合は，生活に対する健康教育や全身のお手当て（イトオテルミー温熱刺激療法，頭蓋仙骨療法，アロマセラピー，整体，骨盤ケアなど）が必要になるかもしれません。

しかし，繰り返す乳栓による乳管閉塞であっても，生後3カ月を過ぎれば赤ちゃん自身の力で解決に導くことができるようになります。時期的な目安も伝え，支援窓口をつくっていつでも迎え入れることができる準備をしておきます。また，乳腺炎の場合は，BSケアと並行して，安静が取れる環境調整が必要です。ストレスとなっている状況を軽減できるように配慮しましょう（P.95参照）。

● **赤ちゃんの適切な吸着**

　BSケア後は，赤ちゃんが適切に母乳を飲み取れるようにくわえ方や抱き方を確認します。現象による痛みが強く，飲ませることに困難を感じている場合は，NNS様の動きを行い乳首をふわふわにしてから吸着させましょう。BSケア中に排泄できなかった乳栓も，ケア後は排乳口近くに移動している可能性が高いので，赤ちゃんがその後に乳首を吸啜することで乳栓が除去されることもあります。

　吸着の姿勢は，赤ちゃんの胸とお母さんの胸が向き合うように抱き，乳首のまん前に赤ちゃんの口が来る位置に連れてきます。

❶ お母さんの乳房と反対側の手で，赤ちゃんの首の付け根（頸椎7番から胸椎1～2番）辺りを軽く支えます。

❷ 乳房と同じ側の手で乳房を支え，口唇と同じように横に細く把持し，乳首を赤ちゃんの上唇側に少し持ち上げ，「あ～ん・あ～ん」と言いながら乳首で赤ちゃんの下唇をチョンチョンと刺激します。

❸ 赤ちゃんがその刺激に対してあ～んと口を開けた瞬間に，乳頭の下方を赤ちゃんの下唇に乗せて，優しく赤ちゃんの身体をお母さんの方に引き寄せます（**写真9**）。乳輪まで深くくわえさせ，上手に吸着できるまでは赤ちゃんの首の付け根を軽く支えます。うまく飲めていれば，頭を肘に乗せて楽な姿勢に変えます。

写真9● 吸着のためのケア

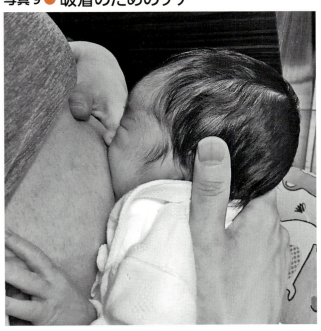

8 BSケアを研鑽するための要点

BSケアの技（型の習熟）

えみ先輩

（ナースステーションでどことなく心配そうなさくら子の背中を見て）
さくら子さん，何だか元気がないわね。どうしたの？

さくら子

えみ先輩…。BSケアの習得は難しいですよね。頑張ってやっているんだけどな。先輩たちのように，私もお母さんに喜んでもらえる時が来るのかな？

え：BSケアは技の世界なのよ。型の習熟のためには，繰り返し，繰り返し，何度も反復した練習が必要だと思うの。それはね，BSケアに限らず，すべての技の世界で共通のことだと思うわよ。

　BSケアは赤ちゃんの母乳吸啜に倣うケアですから，母乳育児支援の方法としては理にかなった動きです。赤ちゃんが母乳を吸啜する時の舌と口蓋の役割を指で担うという，シンプルな原理で優れた型を設定していると考えていますが，やり方をサラッと学べば，すべてが実践できるという世界ではありません。型を技として身に付けていくためには，繰り返し反復して練習していく必要があります。

　BSケアを学びたてのころはぎこちない手や支援姿勢であっても，習熟した後に行うケアの姿は美しく，合理的な動きとなります。習熟した技は，手の型もリズムもすべて連動しており，まるで乳房に寄り添う伴走者です。乳房と共に音楽を奏でる伴奏者のようでもあります。優れた伴奏者が奏で始めた音楽は，途切れ途切れのリズムにはならず，美しい旋律が続きます。BSケアの技も，習熟すれば美しい滑らかな動きとなります。

　BSケアをできるだけ早く身に付け，修得するためには，過去に身に付けたBSケア以外の手技はいったん白紙に戻して，何も書いていないノートにBSケアを新たに書き込むつもりになっていただきたいと思います。新たな型を身に付けるためには，初心に返って真摯に身に付ける努力をしてもらいたいのです。その上で，型を習熟するには，お母さんの乳房に積極的に触れさせていただき，無心になってケアを繰り返すことで，意識から無意識の領域に進化していきます。数千人の人をケアした時，言葉や思考を超えたBSケアの世界が待っていることでしょう。

BSケアは，知識として学んだだけで熟練することはありません。実際に乳房に触れながら，研鑽に積む研鑽を積むことと，学びを深める機会を重ねていく必要があります。

乳房を通してお母さんの全身に向かうとは

　BSケアは乳房を通してお母さんの全身に向かうケアです。BSケアを研鑽していくと，お母さんに喜んでいただけるケアが提供できるようになります。お母さんの喜びは支援者の喜びとなります。しかし，支援者の考え方次第では，技におぼれて研鑽を怠り，知らず知らずのうちにお母さんをコントロールし，産後の一時的な依存からの自立を妨げる関わりをする可能性があります。

　お母さんの身体は，自らが癒しに向かいます。誰かのおかげでそうなったわけではなく，乳房や全身に現れた現象も，健康へと振り子を戻す力があります。

　体に現れるすべての現象に無駄はないと考えています。乳房や全身が発する身体の声は，回復過程に向かう身体の賢い反応であるととらえています。身体は心身一如として，東洋医学では身体に起こってくることは心を表すとされています。乳房においても，乳房はお母さんの身体を表し，心を表します。赤ちゃんのお母さんは世界に１人。お母さんは，赤ちゃんを産んだ完全な存在です。赤ちゃんはお母さんが世界一大好きです。お母さんたちと我々支援者は，対等な関係です。お母さんの母乳育児のやり方を評価して批判する権利はありません。

えみ先輩
　さくら子さん，また何か腑に落ちないことでもあったの？

さくら子
　あっ，えみ先輩。実は…。

さ：先日，乳腺炎かと思われるＨさんが来院されたのですが，どのようなケアをしたらよいのか分からずに困りました。そのような方にもBSケアで対応できますか？　また，先輩が乳腺炎の原因はお母さんの食事であると言って指導していましたが，BSケアも食事の指導をしたりするのでしょうか？

え：乳腺炎を起こして来院されたＨさんはつらかったでしょうね。乳腺炎もBSケアで対応できるのよ。さくら子さんは，先輩が乳腺炎を起こされたＨさんに

「Hさんの食事が原因です」と話したので，鵜呑みにしたのね。でも，本当に食事が原因なのかな？
さ：えみ先輩，何か心当たりでもあるのですか？
え：以前，乳腺炎で来院したIさんは，インフルエンザを疑うような乳腺炎症状で，乳房の痛みや発熱でつらい思いを抱えながらケアを希望して来院されたの。Iさんはこのように話されたわ。

◆ ◆ ◆

〈Iさんのお話〉

　こちらに来る前に，ほかの施設を訪れてみました。そこでは，痛烈なマッサージを受けました。陣痛より痛い状況でしたので「やめてください」と言いましたが，「これをしないと治らない」と言われました。涙が出るほどつらかったのですが，赤ちゃんのためと思い歯を食いしばりながら耐えました。その上，「前日の食事は何を食べたのか」と聞かれたので答えると，「その食べた物が原因。そのような物を食べるからこうなったのですよ」と，言われました。おっぱいは痛いし，赤ちゃんに申し訳ない気持ちになる上に，私の食事が原因…。身体も心も落ち込んで帰りました。「私の食事が悪かった…」と反省しました。ただ，その後も，おっぱいの痛みは変わらず，熱も下がらないために身体がつらく，何とかならないかと思いここに来ました。

◆ ◆ ◆

　Iさんの話に胸が痛くなりました。
　先に訪れた施設では，乳腺炎は痛いマッサージを受けなければ治らないものとし，また，Iさんの食事が原因であるとお母さんを批判しています。Iさんは，「すべて自分のせいでこうなった」と思ってしまい，胸が痛みました。乳腺炎はお母さんの食事が原因でしょうか？
　乳腺炎は，乳汁のうっ滞から始まり，うっ滞性乳腺炎，さらに感染性乳腺炎へと経時的に変化することが分かっています[1]。そこに回復力を遅らせるストレスや疲労が蓄積したことでそのような状況になると考えられています。また，そうなるまで相談する場所もなく，1人で困惑していたIさんの乳房や身体の悲鳴が聞こえる気がします。適切な支援を受ける時期を逸したために，乳腺炎が悪化し，身体は回復過程に向かおうとして白血球を増加させ感染源と戦おうとするのです。痛みや発熱は，Iさんの身体が回復に向かう過程であろうと推察されます。また，乳房という局所を通して全身を癒しに向かわせようする身体の自己主張であるともとらえら

れます。

　乳腺炎を起こしたお母さんへのBSケアは，痛くないように乳房を触診し，痛くないような力加減のNNS様の動きで乳輪からケアを始めていきます。乳腺炎は射乳が起こりにくい状況にありますので，焦らず時間をかけてNNS様の動きでケアします。射乳が起こったら，炎症を起こしている乳腺を仮定または限定して，NS様の動きで排乳し，乳房の痛みを癒します。射乳がなくとも，その後に赤ちゃんが吸うことで乳房が癒されていくことを願いながらケアをします。

　お母さんの環境にも目を向け，生活上抱えていたストレスがないか，お母さんの心身に寄り添います。その上で，環境を整える方法を提案し，心身ともに安寧が得られる状態をお母さんと共に考えます。時には，家族にもお母さんの代弁者として状況を伝え，ストレスが少なくなる状況を提案していきます。

　お母さんの身体に現れるすべての症状に無駄はないと考えています。

　BSケアでは，女性の身体はすべて完全な存在であり，その女性の身体と響応して寄り添い支援していきたいと考えています。そのことは，すべての助産に通じ，助産哲学に基づくことであると考えます。

引用・参考文献

1）水野克己，水野紀子：母乳育児支援講座，南山堂，2011．
2）BFHI2009翻訳編集委員会：UNICEF／WHO赤ちゃんとお母さんにやさしい母乳育児支援ガイド ベーシックコース 「母乳育児成功のための10カ条」の実践，P.26，医学書院，2009．
3）NPO法人日本ラクテーション・コンサルタント協会編：母乳育児支援スタンダード 第2版，P.201，医学書院，2015．
4）前掲3），P.259．
5）松原まなみ，山西みな子：母乳育児の看護学 考え方とケアの実際，P.192，193，メディカ出版，2003．
6）日本助産師会 母乳育児支援業務基準検討特別委員会編：母乳育児支援業務基準 乳腺炎2015，P.83，日本助産師会出版，2015．
7）前掲1），P.13．
8）前掲1），P.8．
9）Page LA Ed：The New Midwifery, London, Churchill Livingstone, 2000, 418p.
10）Weber, F. et al. An Ultrasonographic Study of the Organization of Sucking and Swallowing by Newborn Infants, Developmental Medicine & Child Neurology 28, 1986, 19-24.
11）佐藤香代，中村恵子，浅野美智留他：児の母乳吸啜メカニズムに基づく乳房ケア 第1報 BSケアの開発，ペリネイタルケア，Vol.22，No.6，P.571〜575，2003．
12）佐藤香代，中村恵子，浅野美智留他：児の母乳吸啜メカニズムに基づく乳房ケア 第2報 BSケアの理論と実際その1，ペリネイタルケア，Vol.22，No.7，P.674〜678，2003．
13）Woolridge, M. W：The 'anatomy' of infant sucking, Midwifery 2, 1986, 164-171.
14）Wolff PH：The serial organization of sucking in the young infant. Pediatrics, 42, 1968, 943-56.
15）Hafstrom M. et al.：Recording non-nutritive sucking in the neonate. Description of an automatized system for analysis, ACTA PEDIATR. 86, 1997, 82-90.
16）佐藤香代，中村恵子，浅野美智留他：児の母乳吸啜メカニズムに基づく乳房ケア 第3報 BSケアの理論と実際その2，ペリネイタルケア，Vol.22，No.8，P.775〜779，2003．
17）佐藤香代，中村恵子，浅野美智留他：児の母乳吸啜メカニズムに基づく乳房ケア 第4報 BSケアの実践，ペリネイタルケア，Vol.22，No.9，P.863〜867，2003．
18）佐藤香代，中村恵子，浅野美智留他：児の母乳吸啜メカニズムに基づく乳房ケア 第5報 BSケアの有効性，ペリネイタルケア，Vol.22，No.10，P.959〜963，2003．
19）WHO. Protecting, Promoting and Supporting Breastfeeding：The Special role of maternity Services：a joint WHO/UNICEF statement. Geneva, WHO, 1989, 1211p.
20）WHO/CHD. Evidence for the Ten Steps to Successful Breastfeeding, 1998, 118p.
21）Auerbach, G. et al. Breastfeeding and Human Lactation.Vancouver, Jones and Bartlett, 1993, 168p.
22）UNICEF. "Facts for Life". Breastfeeding. 3rd Edition. New York, United Nations Children's Fund, 2002, 39-51.
23）MOSBY'S POCKET DICTIONARY of Medicine, Nursing, & Allied Health. 3rd Edition. New York, Mosby, 1998, 1149.
24）Auerbach, G. et al. Breastfeeding And Human Lactation. Breastfeeding And Human Lactationancouver, Jones and Baetlett, 1993, 168p.
25）UNICEF. "Facts for Life". Breastfeeding. 3rd Edition. New York, United Nations Children's Fund, 2002. 39-51.

第  章

BSケアの応用

1 お母さん自身が行う乳首のセルフケア（図1）

　赤ちゃんが吸着する乳首は乳輪と乳頭を含んでいることを説明し，赤ちゃんの効果的な吸着のためには乳首の柔軟化や伸展性が必要であることを伝えます。乳頭痛や乳頭損傷の悪化を防ぐ目的でも，乳首のケアの必要性を説明します。

　巻末付録として，セルフケアのためのパンフレット「魔法のクチュクチュ」をご用意しましたので，お母さんにこのパンフレットを基にセルフケアをお伝えしてください。

　口蓋役割の示指と舌役割の母指を使い，NNS様の動きを説明します。その後に，十分に乳首を赤ちゃんに吸着してもらいます。授乳後に，一部の乳腺のうつ乳状態や硬結が気になる時は，NS様の動きで，気になる乳腺からの排乳を試みます。

　母児分離などにより搾乳が必要な場合は，NNS様の動きで乳首を柔軟にした後，射乳を導き，NS様の動きで搾乳すると，痛みを伴わず容易に搾乳できることを伝えます。

図1 ● セルフケアの流れ

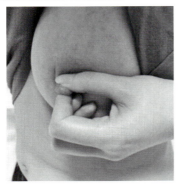

NNS様の動き
↓
乳首がふわふわになる
↓
授乳を試みる → 吸着可能ならばそれにて終了
↓
乳管閉塞であれば
NNS様の動き（1秒に2回くらい）を続けて射乳を呼ぶ
↓
NS様の動き（1秒に1回くらい）で現象の乳腺から排乳を試みる
↓
楽になったか確認
完全に楽になっていなくとも，授乳を試みる
↓
上記を繰り返す

用手での搾乳を繰り返すと，乳首は柔軟な状態に保てますので，赤ちゃんが退院した後には容易に直接授乳に切り替えることができます。長期の入院となり搾乳器機で搾乳する場合は，前半にBSケアによる搾乳を行い，後半からは器機に切り替えると良いでしょう。BSケアによる搾乳で泌乳量が増加したという研究報告があります[1]。

さくら子

先輩，お疲れ様です。少しお時間よろしいでしょうか？
（仕事が一段落して，ホッとしているえみ先輩の元にさくら子が駆け寄ってきました）
NICUに入院した赤ちゃんは長期の入院が必要な場合もあるので，1日500mL以上を目標に搾乳していただくようにお伝えしています。でも，それだけ搾るには，1回に80mL以上は必要なのです。最初から搾乳器機を使用していただくようにご説明したのですが，ただ乳汁量を確保するための搾乳ではなくて，赤ちゃんに直接授乳できることを目指す搾乳でないといけませんよね。

えみ先輩

（ちょっと成長したさくら子の質問に，ニコリとしながら…）
すごくいい質問ね！　確かに，まずは，赤ちゃんのために乳汁量の確保が優先されるわね。量の確保のために，手搾りよりも器機を推奨してあげたのね。一般的にはそうなるわね。

さ：はい。でも，それで本当にいいのかなと思ってしまって…。
え：それはとても大切なことね。最初はお母さんの手指による刺激と支援者によるBSケアが大切になるのよ。乳汁は，最初から分泌されるわけではないので，赤ちゃんが吸ってくれている時と類似する刺激を脳下垂体に送ることが重要なのよ。NICUに赤ちゃんが入院した場合は，分娩後の帰室時から，支援者がお母さんの乳首にNNS様の動きで刺激を送るといいわ。NNS様の動きは後陣痛を起こすのだけど，それはオキシトシンが作用した証拠でもあるのよ。
さ：母乳を直接出すために搾り出すのではなく，脳下垂体に刺激を与えているのですね。
え：その後，お母さんに3時間ごとにNNS様の動きで乳首に刺激を送ってもらい，乳汁がにじみ出るようなら，少量でも搾乳しスポイトに採取して届けることができるの。その後も，NNS様の動きを行うと，泌乳量のアップにもつながるわ。BSケアではそのような報告があるわよ[1]。

2 現象とBSケア

乳房の病的な緊満（母乳分泌増加過程）

　乳房の病的な緊満は，分娩後早期から頻回に乳汁を飲み取れていないことが原因とされています[2]。緊満している乳房の内部は血液・組織液・リンパ液であることが多く，乳汁だけとは限りません。BSケアにより乳輪浮腫が軽減し乳頭・乳輪が柔軟になることで，赤ちゃんが吸着しやすくなり，NNS様の動きによって，わずかながら射乳が導かれ，乳汁が流れやすくなると，赤ちゃんの母乳吸啜で乳房の病的な緊満は解消します。さらに，全体の緊満が軽減すると，乳管閉塞で硬結ができている部位などが明確となり，乳管を限定して排乳することで，全体の緊満を軽減させることができ，赤ちゃんの母乳吸啜で，さらに乳汁の流れが促され，緊満が劇的に軽減していくことが多いです。

硬結・しこり（乳汁流出困難）

　硬結・しこりの原因が乳管の閉塞または狭窄の場合は，排乳する乳腺を仮定もしくは限定して排乳することで，硬結・しこりは縮小もしくは消失します。BSケアを繰り返しても消失しない場合には，前述したように，しこりの種類を判別することが大切です。

乳腺炎（炎症）

　BSケアでは，炎症を起こしている1本の乳腺を限定し，その乳腺からの排乳が促せるので，乳腺炎からの回復が早く，全身の症状の軽快にもつながります。炎症を起こした乳汁はNa濃度とCl濃度が上がりK濃度とLa濃度が下がって塩辛い味になります[3]。そのために，赤ちゃんが容易に飲み取れないこともあります。

　十分に飲み取れていないとお母さんが感じる場合は，授乳後の搾乳も必要になります。

母乳分泌不足（母乳分泌量バランス調整過程）

　真の母乳分泌不足か，母乳分泌不足感であるのかを検討します。それぞれの支援方法は分けて考える必要があります。

●真の母乳分泌不足に対するBSケア

　赤ちゃんが乳首を吸うだけでは効果的に飲み取れていない，流れの悪い乳腺から

の乳汁の流れを促すことで，ホルモン刺激となります。ケアで乳首の柔軟性も増すことから，効果的な吸着へとつなげることもできます。その後，頻回授乳＋BSケアで乳房への乳汁分泌促進を促すことになると考えられます。

● **母乳分泌不足感に対するケア**

　お母さんは，射乳時の状況を目の当たりにすると自信につながります。赤ちゃんがよく泣くことや家族の言動から，赤ちゃんの体重増加は良くても母乳不足と感じることも多いようです。赤ちゃんの睡眠パターンや授乳間隔などの情報に惑わされることも多いので，引き続き相談できるフォロー態勢が必要になります。

　現代は，ネット社会の中で母乳と人工乳の情報が錯綜しており，人工乳の授乳の仕方を母乳育児に当てはめて判断することが多く，情報の選択ができずに戸惑うことも多いようです。

短乳頭・扁平乳頭・陥没乳頭（吸着適応過程）

　お母さんの乳首の形態に名称が付けられていますが，赤ちゃんにとって飲みやすい乳首であるか，飲みにくい乳首であるかは分類できません。判断基準は，支援者自身が持つ支援スキルと経験知の差によって違うように思われます。

　BSケアで乳首が柔軟（ふわふわ）になり乳首の伸展性が増すと，赤ちゃんはお母さんの乳首に吸着でき，吸着が繰り返されることでさらに乳首が伸展して，直接授乳が容易になっていきます。乳首のケアをしないままでの抱き方やくわえさせ方のみの授乳サポートよりも効果的です。

断乳・卒乳後のケア（残存した乳汁）

　授乳を終える時には，乳房内に乳汁を残存させ乳汁産生を抑制し，分泌量にブレーキをかけていきます。BSケアでは，自然に消退する乳腺を見守りながらお母さんにとって不快を伴う乳腺に限定してケアします。必要以上の排乳をしないことから，できるだけ短い期間の関わりで解消できます。

3 妊娠中と産後早期のBSケア

妊娠中のBSケア

　妊娠中は，特にケアが必要だとは考えていません。これは，妊娠中の手入れの有無が母乳育児と関連しないという報告に基づいています[4]。母乳育児への意識付け（教育）や，産後のセルフケアをお母さんに伝えておくことは大切ですので，産後に魔法のクチュクチュで優しくケアする方法を伝えておきます。

産後早期のBSケア

●出産後当日
　初回授乳時から，乳首の柔軟化のためにNNS様の動きを行ってから授乳すると，授乳時の痛みや乳頭亀裂の予防になります[5]。また，赤ちゃんの初回の母乳吸啜の代行となり，ホルモン（プロラクチン・オキシトシン）に刺激を与えます。母子同室・頻回授乳ができない場合も，3時間ごとのセルフケアで乳首に刺激を与えることができます。

●産後1〜2日目
　乳頭亀裂や授乳による乳頭痛予防のため，NNS様の動きを行います。赤ちゃんがうまく吸着できるように，NNS様の動きをセルフケアとして伝えておきましょう。赤ちゃんがうまく吸着できないと感じるならば，授乳前に毎回セルフケアでNNS様の動きを行うと良いでしょう。

●産後3日目
　乳房に充満を感じてきたら，赤ちゃんが効果的に吸着しやすいようにNNS様の動きを行います。乳首が柔軟になり，閉塞している乳管の開通を促すことにもなります。
　射乳が起こるようになったら，NS様の動きで赤ちゃんがうまく吸えていない乳管からの乳汁の流れを促して，赤ちゃんがすべての乳管から均等に飲めるようにします。生理的な体重減少が心配される場合も，BSケアにより射乳が確認できたら赤ちゃんも乳汁を飲み取ることができますので，補足の必要性を検討する場合の参考になります。

●産後4日目
　乳房の緊満が強くなってきた場合は，NNS様の動きで乳首を柔軟にし，射乳のタイミングを利用して，NS様の動きで赤ちゃんが効果的に飲み取れていない乳腺からの乳汁の流れを促します。均等に満遍なく乳汁が流れているかを確認し，赤ちゃんがすべての乳腺から上手に飲み取れるように吸着状況も確認します。

乳管の閉塞が原因と思われる硬結があれば，閉塞を除きます。ただし，妊娠前や妊娠中から認めていたか否かを確認することが大切です。

●産後5日目

射乳を促し，全体の乳汁の色などですべての乳管から乳汁が飲み取れているのかを確認します。部分的な乳汁のうっ滞などがある場合には，乳汁の流れを促し分泌量が増加するようにケアします。

退院後にお母さんが自信を持って母乳育児ができるように具体的な支援が必要です。お母さんたちは，退院後数日間が一番悩むと言われていますので，退院後に訪れることができる窓口の紹介が必要です。

●産後6～7日目

退院後におっぱいの現象に悩むお母さんに対しては，赤ちゃんが効果的に飲み取れていない乳腺を，仮定もしくは限定して排乳しましょう。産後9日ごろには乳汁生成Ⅲ期となり，オートクリン・コントロール状態となります。それまでには，すべての乳腺が有効に活躍できる状況をつくっていただきたいと思います。

●乳汁分泌がおもわしくない場合（母乳分泌不足が疑われる場合）

NNS様の動きで射乳は起こるのか，射乳までの時間はどのくらいか，射乳時間はどのくらい続くのかなどを確認し，乳管の閉塞や狭窄がないか，乳汁の流れが悪い乳腺がないか，1本1本の乳腺からの乳汁の分泌状況を確認していきます。

全体の乳腺の刺激のために，満遍なく全体の乳腺から乳汁を排乳させて乳汁の流れを誘い，お母さんに目視してもらうこともあります。BSケアを行うことでホルモン刺激となり，翌日の乳房の状態が変化します。

母乳分泌量はほんのわずかであると思えても，BSケア中に射乳が呼び起こせるようなら赤ちゃんも確実に飲み取ることができます。泌乳量は，嚥下音や便の変化などで判断できることをお母さんに伝えておくと，自信につながります。

引用・参考文献
1）米沢優子：NICU入院の赤ちゃんを持つ 母親への母乳育児支援～BSケアによる母乳育児支援～，妊産婦と赤ちゃんケア，Vol.1，No.1，P.31～35，2009.
2）NPO法人日本ラクテーション・コンサルタント協会編：母乳育児支援スタンダード 第2版，P.201，医学書院，2015.
3）NPO法人日本ラクテーション・コンサルタント協会編：母乳育児支援スタンダード，P.314，医学書院，2007.
4）BFHI2009翻訳編集委員会：UNICEF／WHO赤ちゃんとお母さんにやさしい母乳育児支援ガイド ベーシックコース 「母乳育児成功のための10カ条」の実践，医学書院，2009.
5）山本記美代：施設ぐるみでのBSケアの取り組み，妊産婦と赤ちゃんケア，Vol.1，No.1，P.22～30，2009.

第5章

実践論の背景
赤ちゃんと
お母さんが先生

～少しだけ手伝いながら,
さらに教えてもらう

1 思考過程も研鑽!?
なぜ, マッサージをしないのか

　乳房に対し支援者が技術的に支援する時,「できるだけ多く排乳しておこう」「排乳する量が多いと効果的」と考えがちです。でも,「母乳育児成功のための10カ条（10ステップ）」（編注：第1章の表3〈P.27〉参照）では, 人工的に多く排乳して支援するようにとは言っていません。赤ちゃんが吸った時に, お母さんの身体の中で反応するのはホルモンです。ですから, ホルモンの力で乳房が進行性変化に向かう刺激は, 赤ちゃんの飲むような動きです。赤ちゃんは自分のクチュクチュとする口の動きで射乳を待ち, 出てきた乳汁をゴクリゴクリと飲み込みます。赤ちゃんは, 自ら湧き出ようとする乳汁を飲むのです。「湧いてくる乳汁より, もっと多く出して飲もう」「もっと多く出しておいて分泌量を増やそう」と, かつて乳管洞と呼ばれた部位に舌を当てたりしません。ですから, 支援者ができるだけ多く排乳して支援しようとする心の働きは, 赤ちゃんの心の働きとは違うと考えます。

　BSケアの技術論を用いる原理（赤ちゃんの飲み方に倣って手を動かし, 乳房の反応を待つこと）に納得していないと, 乳房自ら湧き出る瞬間を待ちきれず, 支援者の力のみで少し強引に排乳してしまうことも多いようです。ですから, BSケアの原理に沿って, 乳房の反応やお母さん・赤ちゃんについて何を考えるかという思考訓練・思考過程[※1]も, 大切な研鑽の一つだと感じています。この思考訓練の時間はセミナーでは取れないので, 本章の役割であるとも考えています。

　乳汁生成期Ⅰ期, Ⅱ期の特徴に合わせ,「BSケアの手技の目的は母乳を多く排乳することや, 搾乳法ではない[※2]」と腑に落ちることを目指します。読者ご自身が, 自分のペースで本書を読み, 第5章がワークシートのような役割を担えることを祈っています。

　ここでは, どうして直接乳房に触れてケアを行うのか, その目的を振り返ってみたいと思います。赤ちゃんの吸啜に倣う（まねをする）技術ですから, その技術を実践しながら「やはり赤ちゃんが飲むだけで大丈夫だ」と実感していただけたらう

[※1] 看護過程をたどる時, 特定の看護理論を基に人間の全体像をつかみます。理論に基づき思考過程をたどる訓練をします。BSケアの場合, 基本となっているのが母乳吸啜原理と「母乳育児成功のための10カ条（10ステップ）」およびケアリング理論です。これらに従って母乳育児支援の全体像をつかみます。ですから, 直接乳房に触れてケアをする時にも, BSケアのベースに沿った思考過程をたどれるよう, 自己研鑽することが必要だと感じています。

[※2] BSケアの手技で搾乳をすることもできますが, ここでは母乳育児確立過程を見守る時の一般的なプロセスについて述べています。

れしいです。お母さんにも,「赤ちゃんが飲むだけで大丈夫なんだ！」と感じられるよう声かけをします。

　ケアリング理論はBSケアだけのものではなく,一般的な理論です。支援者がケアリングと技術の両輪を実践できてこそBSケアになります。

　本章を読んで考えながら,ケアリングと技術の両輪が必要なことを理解していただけるとうれしいです。

　まず,直接乳房に触れてケアを行う目的を大きく次の2つに分けて考えます。

> 1．自然な経過を少しの手伝いでより良くする
> 2．母親が違和感を覚える所を癒す手伝いをする

　 1．自然な経過を少しの手伝いでより良くする ことを目的にした実践としては,手技で乳首がとても柔らかくなるので,初めての吸着から深いラッチオンが期待できます。また,浅飲みにならず,水疱,亀裂を予防できます。飲み取り（remove）が効果的なので,クーリング（冷罨法）もいらないことがあります。

　 2．母親が違和感を覚えるところを癒す手伝いをする ことを目的に,さらに次の2つの目的を挙げることができます。
2-①乳腺のバランスの違いを癒す
2-②何らかの原因によって分泌が少なくなっている乳腺を癒す

さくら子：お母さんと赤ちゃんの相互作用があって母乳育児が確立する,適応過程をたどると聞いています。だから「母乳育児成功のための10カ条（10ステップ）」がありますよね。私たちは,直接乳房に触れるケアを提供する必要があるのでしょうか？

えみ先輩：確かに,お母さんと赤ちゃんの相互作用によって母乳育児は確立するわね。でも,その確立する過程で乳頭亀裂や生理的な張りが起こり,つらい思いをしているお母さんもいるわよね。これを避けて,より楽に母乳育児が確立するように手伝うとしたら,何ができるかを考えてみることも大切なのよ。

これからBSケアを始める初心者にも，BSケアの理念が腑に落ち，納得した上で習得できるように，一つ確認しましょう。

　それは，「赤ちゃんの要求（母乳吸啜）に，乳房は<u>応えようとする</u>」ということです。乳房は自ら（自発的，能動的，自動的），赤ちゃんの要求に合わせて生理的適応過程をたどります。

　「<u>応えようとする</u>」のですから，手技が赤ちゃんの吸啜に似ていたら，乳房は反応します。直接手を触れるケアによっても結果が期待できます。
　お母さんが乳房の奥底に違和感を感じたら，支援者は「困った…。解決しにくそう」と思うかもしれませんね。でも赤ちゃんの吸啜に，乳房の奥底にある乳腺（腺房細胞の一つひとつ）も反応します。お母さんが違和感を覚えるところが，赤ちゃんの吸啜に応えて，癒しに向かおうとする能動性を活かしましょう。

2 適応する力について考える
〜乳房自らが乳腺炎を予防しようとする

さくら子: えみ先輩，担当しているお母さんに大きなしこりができて痛そうです。どんなに自分でケアをしたり，赤ちゃんに吸ってもらったりしても変わりませんでした…。乳房が赤ちゃんの吸啜に応えようとする力は期待できないのですか？

えみ先輩: しこりには種類があるのよ。私たち生き物にある周りの環境に適応する力や回復過程をたどろうとする生体反応に，しこりとして確認される反応もあるのよ。乳房が回復する力を全く失ったというわけではないと思うの。炎症と炎症反応は区別してみてね。

　もし，私たちの体調が悪くなり，適応・回復しようとしないのなら，それは自然治癒力が衰えた身体だと言えます。身体は生きている限り身体の恒常性を維持し，回復しようとしています。回復しようとする生体反応の中に炎症反応もあり，生命力があるから炎症反応が生じます。生命力が弱いと，回復に失敗して炎症という疾患になり，医師の判断が必要です。

　では，しこりを例に考えてみましょう。乳房のしこりがある上，排乳もほとんどないとなると心配ですね。内部でいったい何が起こっているか，生理的に考えてみましょう。

　乳汁が溜まって飲み取られないと，その場所から「いつもと違う状態になった」とシグナルが発信されます。シグナルに応え，白血球（単球・好中球）が異物を貪食しようとします。白血球が集まりやすいように，近くを流れる血管壁が広がって血漿が流れ出します。これが，回復しようとする動きです。血漿が溜まって腫れれば，この部位がしこりとなり得ます。

　乳腺の周りに血液成分が集まって回復を助ける一方で，賢いことに乳腺の内部でも回復を手伝います。

　まず，乳汁分泌抑制因子（FIL）は局所の乳汁をあまり作らないようにします。こうすることで，乳汁が溜まって腫れている所が，さらに乳汁で膨れ上がり困らないようにするのです。すると，今あるものだけを白血球が異物として飲み込めばよいので，掃除がはかどりやすくなります。

局所の掃除が終われば，FILや白血球の役割は終わります。役目を終えた成分も吸収され，少しずつしこりが消失します。

　乳汁が溜まりやすくなっていたわけですから，その乳腺に対し赤ちゃんの吸啜（「休まずおっぱいを出して」というリクエスト）が伝われば，応えようとしてくれます。もちろん赤ちゃんのリクエストを，その乳汁が溜まりやすい所に伝えるよう，抱き方を変えてみるなどの工夫も，癒しの効果を高めます。

　直接乳房に触れるケアの場合，溜まりやすい乳腺に，他の乳腺と同じ状態になるよう赤ちゃんに代わってリクエストした結果は，目の前で即座に乳房の変化として確認できるでしょう。乳汁を排出しやすくなるよう，流れの復活を用手的に手伝います。流れの復活が速やかであれば，薬はいりません。

　身体は生きている限り回復に向けあらゆる方法で適応過程をたどろうとします。私たち看護職は，逸脱した状態を治療（cure）する人ではないので，適応力や身体の力を促進して，状況をより良くしようとするケアの実力をつけたいと思います。

3 赤ちゃんに畏敬の念を持って伴奏
〜赤ちゃんの力を，お母さんと共に敬う

では，実際に本書を読みながら，ケアの原則を思考する体験をしてみましょう。先に挙げた次の2つを考えます。

> 1. 自然な経過を少しの手伝いでより良くする
> 2. 母親が違和感を覚えるところを癒す手伝いをする

1. 自然な経過を少しの手伝いでより良くする

産後，赤ちゃんの吸啜に乳頭が応え，伸展しやすくなる過程において，まだ十分な伸展性を確保できていない早期では発赤・水疱を形成してしまいます。浅飲みになりやすく，舌の上で乳頭が吸啜の動きでこすられるからですね。

しかし，赤ちゃんの吸啜の原理に沿った刺激で乳首の伸展性を確保してから吸着すれば，乳頭を傷付けなくなります。毎回の飲み取りが効果的であれば，クーリングも不要になります。

さくら子: 先輩，先日教えていただいたNNS様の動きでケアをしてから，赤ちゃんが吸着するようにしてみました。それからは乳首が切れなくなりました。

えみ先輩: 早速，お母さんにケアをしてあげたのね。

さ：はい。お母さんも喜ばれたので，「こうやってほぐしてから赤ちゃんにおっぱいをあげてください」と伝えてみました。

え：そうだったのね。喜ばれたのなら良かったわ。でも，そういう時に「ほぐしてください」という言葉を使うと，お母さんは乳頭をつまんでしまうかもしれないわね。赤ちゃんが吸啜する時には，私たちの指が乳首をほぐすような動きはせず，吸啜を繰り返すことで伸びやかな乳首になるでしょう？　だから，お母さんには「赤ちゃんの動きをまねた簡単なセルフケアを少しの期間するだけでよいのだ」と思ってもらいたいわね。

お母さんへの伝え方にはいろいろな方法があると思いますが，例えば，お母さんに柔らかくなった乳首に触れてもらってから，「今，私は赤ちゃんがおっぱいを飲むまねをして指を動かしました。それだけで乳首が柔らかくなってくれましたね。いずれ乳首は，このケアをしなくても柔らかく伸びるようになります。それまでは，赤ちゃんのまねをして手を動かして，赤ちゃんがお口に含んだ時に痛くないようにセルフケアをしてはどうでしょう？」と伝えてみるのも一つです。
　<u>お母さんに伝えたいのは，赤ちゃんの吸啜の素晴らしさです。</u>「支援者がケアをしたから」という認識や，「セルフケアをしなくてはいけない」という思いが前面に出てこないようにしたいですね。
　赤ちゃんとの授乳時間は，乳首を柔らかくする大切な機会です。頻回な授乳に対しても，「赤ちゃんに吸ってもらうって大切なんだなぁ」とお母さんがより前向きになれるよう努めましょう。そのためにも，やはり亀裂などでお母さんがつらい思いをしないようにしましょう。
　言葉の表現は難しいです。支援者が手を差し伸べているのだとしても，「ケアが乳首を柔らかくした」という表現ではなく，「赤ちゃんのまねをしたら乳首が柔らかくなる」と表現し，「母乳育児の主人公は，常に母親と乳房と赤ちゃんだけである」というメッセージを何気なく伝えることが大切です。その結果，お母さん自身が日常生活の中で「私と私の赤ちゃんの相互作用で母乳育児が確立する」と自然に感じるようになれば，支援者としてはうれしい限りです。「自分たち（お母さんと赤ちゃん）だけで大丈夫」と思う自己効力感が育まれることを目指しましょう。
　<u>手技を磨き，お母さんへの言葉かけの力も磨く，この２つがセットとなってBSケアになります。</u>お母さんと赤ちゃんの全体的なケア＝ケアリングをしようと試みて，お母さんの反応に合わせてみましょう。

2．母親が違和感を覚えるところを癒す手伝いをする
2－①乳腺のバランスの違いの癒し
　乳腺葉は同じ大きさではなく，大小さまざまであることが分かっています。例えば，しこりを繰り返すところなどを「悪い箇所」と表現していませんか？
　症状が繰り返すのはつらいことですが，繰り返すのには理由があります。お母さんの話を聞き，乳房の状態を診て，"赤ちゃんの要求に，乳腺がどうやって応えようとしているのか"を読み取ります。乳房の全体が悲鳴を上げていない（恒常性を保っている）のに，なぜ，ある所だけが悲鳴を上げるのか，なぜ一部だけなのか，

その理由を探りましょう。

　人それぞれ顔が違うように，乳腺も人によりそれぞれ違いがあります。例えば，血管を考えても，人により血管が詰まりやすい人，血圧が高くなる人など異なりますね。

　乳腺は外分泌腺で，乳汁を産生し導管から排出する能動的な働きをしています。そのため，赤ちゃんが飲み取りやすいところは産生能力が旺盛で，導管としての機能も充実しています。一方で，赤ちゃんがあまり飲み取らない乳腺は，乳腺自らが控えめになります。控えめな乳腺にダメ出ししないであげてくださいね。リクエストされないので出しゃばらないだけです。これも，一つの適応力です。

　では，しこりについて，少し詳しく確認しましょう。

　乳房内部は，人によって乳腺ごとに分泌が活発だったり少し控えめだったり，乳腺葉が大きかったり小さかったり，といった違いがあります。これらの違いは，生まれつきであるかもしれません。あるいは，赤ちゃんが乳汁を飲み取りやすい乳管があれば，この延長にある乳腺葉が応答して乳汁を多く分泌するため，赤ちゃんの飲み取りによって乳腺ごとの元気度に違いが生じると考えられます[※3]。

　母児の相互作用で，毎日のおっぱい生活（暮らし）のペースができます。でも，母児のどちらか一方にいつもと違うことが起こると，もう一方も変化に合わせようとします。

　例えば，赤ちゃん側に変化が起こった場合を考えてみましょう。ある日，赤ちゃんが離乳食をよく食べてあまりおっぱいを飲まなかったとしましょう。普段求めに応じて元気に排乳している乳腺は，飲んでもらえないので乳汁産生を調整する必要が出てきます。次の授乳時間までに赤ちゃんが飲まなかったことを踏まえ，次も飲まない可能性があることに適応しようとします。

　次に，お母さん側に変化が起こった場合を考えてみましょう。お母さんが，横になってずっと寝ていたいぐらい疲れきっているとします。でも，育児は休むことができませんので，無理して動きます。お母さん業は，365日，24時間休みがありません。働くお父さんとは違った重労働を担っています。

　乳腺は，新しい細胞を作り古くなった細胞を掃除する代謝が必要です[※4]。乳房

※3　乳腺は，乳房の中で大小さまざまな器質を持ち，局所よって自律的，能動的に乳汁を生産します。細胞自身が産生した分泌物が細胞自身に作用するオートクリン・コントロールにより，局所で個別の適応を遂げます。

※4　乳腺は代謝が活発なので，自然死した細胞（アポトーシス）も多くなります。代謝に十分エネルギーが使われないと，自然死した細胞である代謝産物が溜まります。リンパ管に流そうと間質液が多く溜まれば，それもしこりとなり得ます。

は代謝が活発なので，エネルギーが必要です。疲労してエネルギーが枯渇しても，乳房は必要なエネルギーを使おうとします。赤ちゃんがおっぱいをリクエストするからです。でも，枯渇しているので，どうしても行きわたらなくなる乳腺，もともと既往歴があって控えめにしている乳腺があるかもしれません。

　疲れ果てたお母さんの乳房の中で代謝エネルギーを行きわたらせることが難しいと，溜まった乳汁やしこりを解決することができません。そして，疲れるたびに，これを繰り返します（疲労だけでなく，心理的ストレスが理由であることもある）。赤ちゃんは，いつもと違う状態になった乳房に合わせ，いつもと違う飲み方をしようとすることもあります。

　そこで，変化が起こったところを元に戻りやすくするために，赤ちゃんの飲み方のまねをしたケアでちょっと弾みをつけてあげましょう。すると，後は，また赤ちゃんがいつもどおり飲むだけで乳房はスッキリします。全体を排乳する必要はありません。悲鳴を上げているところだけに「元気になって」と赤ちゃんのリクエストを伝えます。

さくら子

繰り返す乳房の現象にお母さんがつらい思いをしないために乳房を時々見せてもらうように伝えた方がよいのでしょうか？

えみ先輩

セルフケアの工夫を伝えることもあるわよ。私たちの手当てをお母さんが一番に頼ったりしないようにしたいわよね。
そういう時は，さっきと同じことになるけど，自分たちが相互作用し合う素晴らしさを持っているのだ，と自然に感じてもらえる言葉かけをした方がいいわね。私は，「赤ちゃんのまねをして指を動かして排乳させてもらったら，少ししこりが減りましたね。私たち（支援者）がいなくても，普段はおっぱいがスッキリとしていましたよね。帰宅した後は，赤ちゃんに飲んでもらえば，おっぱいはしこりを減らしてくれそうです。赤ちゃんのまねをした私の手よりスッキリするでしょう。普段どおりお母さんと赤ちゃんで大丈夫ですよ」という感じで伝えているけど，さくら子さんの役に立ちそうかしら？

さ：分かりました。言葉かけは難しそうですが，お母さんと赤ちゃんのために工夫してみようと思います。

お母さんたちの不安を軽減し，お母さん自らの力を引き出すための声かけや関わり方は大切です。そして，乳房を癒す技術力があっての声かけです。技術で解決の糸口をつかんでいることが大前提です。私たちは，赤ちゃんが母乳を飲んでくれる時の吸啜の動きを模倣しています。手を出しすぎず，ケアしすぎず，「赤ちゃんたちはこういった素晴らしい機能を持って生まれてきてくれているんだ」ということがお母さんに伝わり，お母さんが，赤ちゃんに感謝する気持ちになれることが大切です。

　ケアの終了時には，母児の自己効力感が高まるよう，お手当てについて言葉かけをします。繰り返す乳房の現象には，その理由となった心身や生活の状況にお母さん自身の目を向けてもらい，セルフケア力につなげます。日常から気を付けて暮らすことができるエンパワーメントを目指します。すると，繰り返しを避けることができます。お母さんの持つ力を引き出すことがケアリングの原則でもあります。

2－②何らかの原因によって分泌が少なくなっている乳腺の癒し（と炎症反応）

　「何らかの原因によって分泌が少なくなっている」とは，どういう状態でしょうか。

　例えば，風邪をひいた時を思い出してください。咳や鼻水が出ますが，これは，病原体の進入を防ごうと身体が一番初めに行う反応です。それで排出できなければ，次に熱などが出ます。これが二次防御です。二次防御の時は，白血球が病原体を食べて掃除しようとします（非特異的免疫，自然免疫と言われます）。熱が出ると横になりたくなり，何も考えたくなく，飲食や活動よりも眠ることを優先したくなります。高くなった体温で病原体が生存しにくくして，早く排除する，という身体の賢い防御体制ですね。

　ここで，ミクロの世界，顕微鏡の世界をのぞいていると思って，さらにイメージを広げてみてください。

　こうした防御体制は病原体には限りません。例えば，乳汁が溜まっていたとします。溜まり過ぎると，異物，不要物として蓄積します。乳腺の周りの間質（間隙）には脂肪組織があります。間質は，間質液で満たされており，異物を処理するための白血球（好中球などの貪食細胞）などが間質液の中を遊走してきて，間質は異物の処理をする場となります。異物は処理されて，老廃物としてリンパ管へと流して行きます。

　異物や老廃物をリンパ管へ流す準備に協力してくれるのは，前述のとおり白血球です。白血球が血管から流れ出やすくするよう血管の壁にすき間ができるので，血液中の水分（血漿）もそのすき間から流れ出ます。流れ出る先は，細胞の代謝が盛

んなので老廃物をたくさんつくっている乳腺の近くです。乳腺・腺房の周りにある間質に水分がたくさん流れ込むことで，圧迫されて痛くなったり（疼痛），血液成分で赤く見えたり（発赤），シグナル※5が出て発熱したりします。これは二次防御と呼ばれ，炎症反応として表れます。

　乳房の内部のイメージのためには，乳腺だけが主役ではなく，乳腺と隣り合う間質も物質交換の場として併せて考えてください。乳腺房の中で産生が抑制されれば（FILの作用），乳汁の産生が少なくなりますので，乳腺の周りの掃除や回復作業もはかどりやすくなります。助かりますね。

　このように，人間の体は，風邪の時は病原体という異物を退治し，乳腺の間質では蓄積した異物を掃除します。発赤や発熱が起こることがあります。「乳房が熱を持つ＝感染」と公式的に考えるのではなく，異物を掃除する賢い身体反応もイメージしておきましょう。

　このような現象が見られる場合，産生量を減らしている乳汁を排乳するケアが有効になります。分泌も少なくなっているような乳腺を癒すわけですから，狙う乳腺からの排乳量は少なくて当然です。ですが，できるだけ多く排乳して癒そうとする手の動き，心の働きになってしまうと，ケア中やケア終了の判断を間違えてしまうかもしれません。

　現象を回復させるために乳腺の周りの間質に血液成分・血漿が溜まってしこりのようになっていることが原因であることも考えられます。しこりは，その場ですぐに完全に消失できないこともありますが，異物がなくなれば，間質にある血液成分も引き潮のように徐々に引いていきます。

さくら子：手当てをしてしこりがなくなればよいのですが，少し残った時は，「手を触れさせていただいてケアをしたおかげで，今は回復に向かっているようです。薬を飲む必要はないかもしれないですね。また見せてください」などとお母さんに伝えればよいのですか？

えみ先輩：そうね，また見せていただくのは大切よね。ケアの後の説明はとても大切で，乳房の現象やケア中の乳房の反応によって見通しは違うのよ。
ただ，さくら子さんが言った「ケアをしたおかげ」という言い方がお母さん

※5　サイトカインというシグナルを出す物質が，熱を出すよう指令します。

> に「感謝しなくてはいけない」といったニュアンスで伝わった時，お母さんと支援者との間に上下関係をつくってしまわないかな？　ここでもケアリングができる支援者としてメッセージを伝えるために言葉を選びたいわね。

さ：「ケアリング」ができるためには，どうしたらよいのですか？
え：「お母さん自身の身体の回復力に目を向けて，お母さんが支援者に頼りきらずセルフケアできる力を育むことを目指す」というのが「ケアリング」よ。例えば，しこりを作ってしまうと，お母さんは「自分のおっぱいが悪い」とか，「しこりを作ってしまった自分（の食生活）が悪い」などと思ってしまうの。そこで，「しこりの所は，乳汁をたくさん産生しないようにしていました。賢いですね。作り過ぎるとさらに痛くなりますからね」などという言い方で，お母さんやお母さんの乳房を悪者にしないように声をかけてみてはどうかな？
さ：なるほど，そういうふうにお母さんに伝えれば，お母さんの感じ方が違ってきそうですね。

　赤ちゃんは乳首（ティート）を吸着し，乳頭から出てくる乳汁を全体的に飲みます。私たちは赤ちゃんの飲み方をまねしながら，癒してほしそうな所に集中して指を動かします。そこで，乳汁の流れに変化が起こります。お母さんには，こういった現象が起こっていることを次のようなメッセージで伝えるとよいでしょう。
「今，起こっている現象に対して，赤ちゃんの代わりに赤ちゃんのまねをして手を動かしたことで，乳汁が流れやすくなってきたようですよ。赤ちゃんの飲む力ってありがたいですね」
　<u>自分の存在（ケア）を前面に出さず，お母さんの自己効力感を高めるよう配慮</u>すると，言葉かけも変わります。ケアリングのために，自分が使える時間を有効に活かす手技と言葉かけを工夫します。また，お母さんとの関わりの中で，いつBSケアの手技を使うのか，その場面とタイミングを見極めます。
　私たちは，"完全母乳"や"母乳栄養"の確立を目指すのではなく，"<u>母乳育児の確立</u>"をお手伝いしたいと思います。楽しく幸せな母乳育児を目標に支援しましょう。お母さんと赤ちゃんの気持ちに伴走，と，横に並行して走るイメージではなく，伴奏します。乳房の現象と赤ちゃんの素晴らしさと共に綾を織りなし，一緒にハーモニーを奏でるようなケアで伴奏したいと思います。

4 赤ちゃんとお母さんが先生
～母児相互作用の素晴らしさから学ぶ

　本章では、「実践論の背景にある赤ちゃんの母乳吸啜メカニズム」について触れてきました。たとえ直接乳房に触れてケアをしたとしても、私たちがお母さんに声をかける時、どのようにお母さんと赤ちゃんの2人の世界に意識を持っていくか、場面を変えて考えてきました。

　赤ちゃんの吸啜に倣った手技を用いるということは、その手技をしながら、赤ちゃんの吸啜で乳房の中に何が起こっているのかが伝わってくるということです。ですから、手技の結果伝わってきた何かをお母さんに伝えます。常に赤ちゃんの立場に立つことができます。その例を、以下のケアの場面について考えました。

> 1．自然な経過を少しの手伝いでより良くする
> 2．母親が違和感を覚えるところを癒す手伝いをする
> 　　2－①乳腺のバランスの違いの癒し
> 　　2－②何らかの原因によって分泌が少なくなっている乳腺の癒し

　少し振り返ってみましょう。
1．「自然な経過を少しの手伝いでより良くする」とは
・どういう技術を使うことか。
・どうして「少し」手伝うだけでよいと言えるのか。
・その時、少し何をした、とお母さんに伝えるのがよいのか。
・その目的は何か。
2－①乳腺のバランスの違いの癒し
・何をした、とお母さんに伝えるのか。
・その目的は何か。
2－②何らかの原因によって分泌が少なくなっている乳腺の癒し
・どう考え、手で何をするのか。
・何をしたことで改善したのかを、どうお母さんに伝えるのか。

　赤ちゃんの母乳吸啜のメカニズムを背景としたケア（手の技によるケアであり、心のケアでもある）とはどういうものなのか、本書を読みながら思考過程をたどる

ことができたでしょうか。読んでいらっしゃる方によっては，意識を変える体験にもなるかもしれません。

　BSケアの技術を使う時，技術を単独で使うのではなく，母子の幸せと自己効力感，成長を目指すケアリングが必要であること。ここをゆるがすことなく実践につなげていただけるとうれしいです。

　母子の相互作用による適応過程に伴奏し，常に赤ちゃんの立場に立った言動でお母さんの横にいます。

　自己効力感に満たされ，うれしそうに赤ちゃんを見つめ，おっぱいをあげるお母さんの笑顔が，私たちを癒します。赤ちゃんはお母さんをうっとりと見つめます。

　日々，この風景に自分が包まれることこそ，支援者としての醍醐味ですね。

BSケアを応用したお母さんにもできるセルフケア

魔法のクチュクチュ

赤ちゃんの母乳の飲み方に倣う手当て

NPO法人 BSケア　寺田恵子　浅野美智留

特徴

1. 「魔法のクチュクチュ」は，「母乳育児をしたいけれど，うまくいくかしら…」と不安に思われているお母さんに向けて，乳首に対する手当ての方法を示した手引書です。
2. 赤ちゃんの母乳の飲み方に倣って行う手当て法の一部ですから，どなたでも行うことができます。
3. 赤ちゃんの"クチュクチュする動き"に倣って行う方法です。

例えば…

　　赤ちゃんが母乳をうまく飲んでくれない
　　おっぱいが詰まって痛い思いをしている
　　乳腺炎などが疑われ，自宅での応急手当が必要
　　母乳を急に与えられなくなった時や授乳を終えた時　　など

そのような時に，自分でできる手当て法です。
難しい方法ではありません。時間も短時間で大丈夫！
おっぱいを治してくれるのは赤ちゃんです。赤ちゃんの飲み方に倣って，自分で手当てをしてみましょう。

"クチュクチュする動き"に倣うとは？
「NNS様の動き」

1. この方法は，"BSケア"と呼ばれる痛くないおっぱいケアの方法の一部をお母さんが行う手当てに応用したものです。

2. BSケアとは，赤ちゃんの母乳の吸い方に倣って指を動かす方法です。赤ちゃんが母乳を飲む時には二通りのリズムがあります。したがって指の動かし方も二通りあります。

   ①お口を早く動かしながら飲む，1秒に2回くらいの速い動きでクチュクチュ・クチュクチュする動き（NNS様の動き）

   ②おっぱいが湧き出したら，1秒に1回くらいのゆっくり飲み込むゴックン・ゴックンする動き（NS様の動き）

3. 赤ちゃんは，①のクチュクチュリズムで母乳を吸い始めます。そうすることで，乳首を柔らかくして飲みやすくしているのです。
   　NNS様の動きは，NNS（non-nutritive sucking＝栄養摂取を伴わないsuck）に着目した指の動かし方です。
   　赤ちゃんのNNSに倣ってNNS様のリズムで指を動かし手当てすることで，乳首が少しでも柔らかくなり，赤ちゃんが乳首を吸いやすくなることを目的として行います。

   NS様の動きは，NS（nutritive sucking）に着目した指の動かし方です。NNS様の動きで乳汁がポタポタと出てくるようになったら，NS様の動きに変えます。

寺田恵子，浅野美智留ⓒ

2つの目的

<u>1．乳首が柔らかくなり，伸びが良くなります。その結果，赤ちゃんがくわえやすい乳首になります。</u>

2．おっぱいに困ったことが起こった時の応急処置になります。

　赤ちゃんにとってのお母さんの乳首は，左右2つだけ。
　形や大きさを，ほかのお母さんと比べる必要はありません。赤ちゃんにとっては，母乳を与えてくれるお母さんは世界に1人だけです。ほかのお母さんの乳首や哺乳瓶，また人工的に作られた乳首に被せるキャップなどとの比較は必要ありません。
　赤ちゃんはお母さんの母乳を飲むだけで，すべてを解決してくれます。それを信じて，赤ちゃんが飲んでもうまく解決できない悩み（痛み・腫れ・しこり）が起こったら，赤ちゃんが乳首をくわえやすくなるように，魔法のクチュクチュを行ってみましょう。

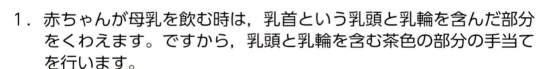

手当ての部位

1．赤ちゃんが母乳を飲む時は，乳首という乳頭と乳輪を含んだ部分をくわえます。ですから，乳頭と乳輪を含む茶色の部分の手当てを行います。

2．おっぱい全体を揉んだり動かしたりはしません。

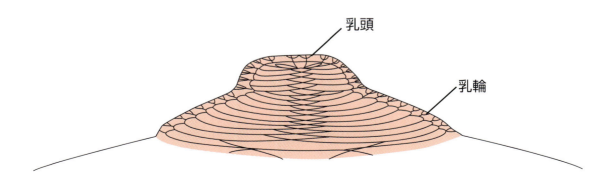

寺田恵子，浅野美智留©

手当ての流れ

おっぱいの気になる部分を触ってみます（痛みのあるところ，硬くなっているところなど）。

NNS様の動き第一段階

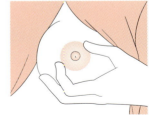

NNS様の動き第二段階
だんだん乳首がふわふわになってきます

その後，NNS様の動きの第二段階を続けていると，母乳がポタポタと落ちてくるか，または，勝手に飛び出してくるようになります

NS様の動き

おっぱいの気になっていた所を触ってみましょう

少しでも楽になっているようなら，手当てを終了して赤ちゃんにおっぱいを吸ってもらいましょう

寺田恵子，浅野美智留©

手順1

1. 始める前にお母さんの手を石けんと流水でよく洗いましょう。
2. 爪は，皮膚を傷付けない程度に切りましょう。またタオルを乳房の下に置きます。
3. お母さんの親指と人差し指を，赤ちゃんのかわいいお口に例え，親指と人差し指をCの字にします。

手順2

　NNS様の動きは2段階に分けます。まずは，NNS様の第一段階から始めます。

1. 親指と人差し指を乳輪の外輪（外側ギリギリ）に置きます。
2. 両方の指を寄せるように，1秒に2回くらいの速さで優しく痛くないように動かします。
3. 「クチュ・クチュ，クチュ・クチュ」と言いながら指を動かすとうまくいきます。
4. 痛くない部位に指を置き，痛くない力加減で行うのが上手に行うコツです。
5. 乳輪が少し柔らかくなったら，指を乳頭の付け根に移動します。

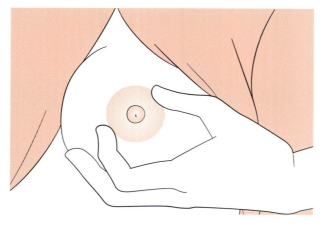

寺田恵子，浅野美智留ⓒ

手順3

NNS様の第二段階を行います。

1. 指を乳頭の付け根の痛くない部位に移動させ，手順2と同様にクチュクチュを行います。
2. 乳頭と乳輪部全体がフワフワと柔らかくなるまで行います。
3. まだ硬いと感じる場合は，根気強くクチュクチュを続けます。

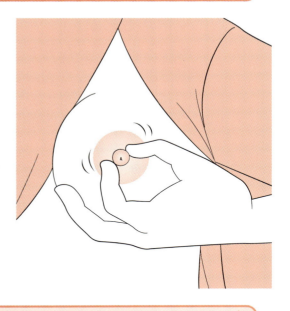

NNSの動きで気を付ける点

1. 指は，乳首の皮膚に密着させてクチュクチュします。
2. 皮膚の上を飛び跳ねたり，皮膚の上をこすったりしないように注意します。
3. 行う時間は，片方におよそ2分です。乳首が柔らかくなったらOKです。
4. まだ硬いようならば，時間を延長します。

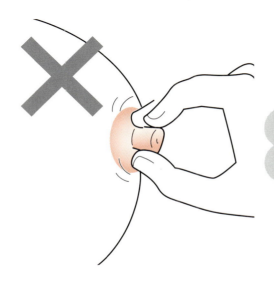

皮膚の上をこするような動きはしないようにしましょう。

寺田恵子，浅野美智留Ⓒ

手順4

次にNS様の動きです。

1. 乳首がふわふわになって，母乳がポタポタと出てくる，または勝手に母乳が飛び出してくるようになったら，NS様の動きになります。
2. 親指と人差し指をイラストのように配置します。
3. 親指が赤ちゃんの舌，人差し指が赤ちゃんの上あご（口蓋）の役割です。
4. 親指を人差し指に押し当てるようなつもりで，1秒に1回くらいのリズムで動かし，母乳を搾り出します。
5. 「痛いな」「不快だな」と思う感覚を大切にしながら，そのように感じる箇所を目安に母乳を搾り出します。

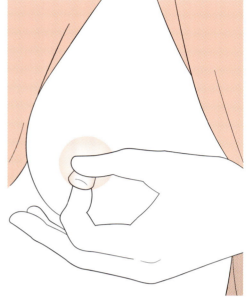

NS様の動きで気を付ける点

1. 親指を動かす時に皮膚の上をすべらせないようにします。
2. 皮膚の上をすべらせると，擦り傷のようになるので，注意します。
3. おっぱいの硬い部分を軽く圧迫すると，その部分からの母乳を搾りやすくなります。
4. ただし，ギュッと力任せに強い力で押し付けないように注意します。押さえ過ぎると打撲のようになりますので注意します。

寺田恵子，浅野美智留Ⓒ

こんな時も

1. 赤ちゃんが泣き出しても，少しだけ待ってもらって行います。赤ちゃんが泣いてかわいそうだなと思う時は，うまく飲ませられる方をくわえさせながら，うまくいかない方への手当てを行います。
2. 両方ともうまく飲ませられない時は，魔法のクチュクチュをした後に，両方の母乳を搾っておきましょう。その搾った母乳（搾乳）を飲ませることができます。搾乳を赤ちゃんに少しだけ飲ませた後に乳首を含ませると，飲んでくれることがあります。
3. 母乳を搾る（搾乳）前も，まずは魔法のクチュクチュから行います。母乳が湧き出し（射乳が起こり），搾りやすくなります。

※**赤ちゃんは，空腹すぎるととてもせっかちになります。少しおなかを落ち着かせると穏やかに飲み始めることもあります。大きな声で泣いている時には，無理に母乳を与えようとせずに，少しなだめてから与えてみましょう。または，大泣きする前がチャンスだとも考えられます。**

手技のまとめ

1. 母乳の与え方は，いろいろな資料に示されていますが，乳首の手入れに関しては示されていない場合が多いです。
2. 赤ちゃんが飲みやすい乳首になるためは，まずは乳首を柔らかくすることが必要です。
3. 赤ちゃんの飲み方に倣って，魔法のクチュクチュを行ってみましょう。

寺田恵子，浅野美智留©

赤ちゃんへの母乳の飲ませ方

1．さて，魔法のクチュクチュが終わったら，赤ちゃんに乳首を吸わせてみましょう。
2．その前に，お母さんの手を，石けんと流水でよく洗いましょう。
3．母乳の飲ませ方の資料はいろいろありますが，まずは乳首のお手当てから。
4．その後，お母さんが一番やりやすい方法を選んでください。赤ちゃんがうまく飲めれば，それが一番良い方法です。

赤ちゃんの支え方

1．赤ちゃんの背中に，授乳するおっぱいとは反対側の手を当てて支えます。
2．赤ちゃんの首の後ろを優しく支えます。
3．首は少しだけ上を向くように支えましょう。お母さんがコップで水を飲む時くらいの角度です。
4．お母さんは赤ちゃんに向かってやや前かがみになり，胸を突き出すようにすると良いでしょう。

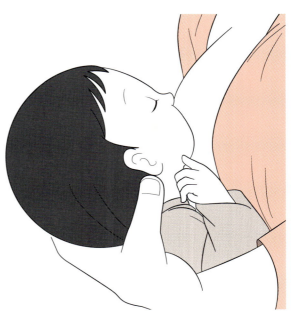

寺田恵子，浅野美智留ⓒ

おっぱいの支え方

1. 授乳するおっぱいと同じ側の手で，おっぱいを持ちます。
   乳首の下側をツンと上に向けるようにおっぱいを持ちます。
2. 赤ちゃんの口にハンバーガーを入れるつもりで，おっぱいを持ちます。
3. おっぱいを持つ指が邪魔しない位置でおっぱいを持ちましょう。

赤ちゃんへのくわえさせ方

1. 赤ちゃんの口が大きく開くまで，「ア〜ンよ，ア〜ンよ」と言いながら，何度か乳首で赤ちゃんの口をトントン・トントンとします。
2. 赤ちゃんの下あごが下がるか，口が大きく開いたタイミングがチャンス！（イヤイヤしているように見える時もありますが，早く吸い付きたくて焦っている動きです）
3. その瞬間，赤ちゃんを支えた腕で赤ちゃんの背中を軽く押すようなつもりで乳首をパクンと口に入れます。焦らないで行います。
4. パクンと深くくわえるまで，何度かやり直します。
5. 赤ちゃんが口にくわえた乳首にひどい痛みがあれば再トライ。なければそのまま吸わせます。

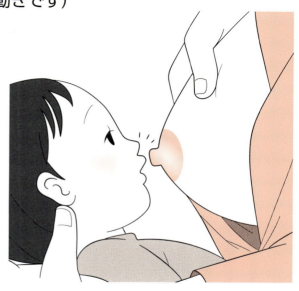

寺田恵子，浅野美智留Ⓒ

ゆったりとした気持ちで母乳を与えます

1. しばらくしたら，赤ちゃんの頭を乳房と同じ側の腕で支え直します。
2. 楽な姿勢で与えます。
3. 赤ちゃんの下にクッションなどを置くと良いでしょう。

お母さんは焦らずに

1. 赤ちゃんは起きていますか？　寝ていたら起こします。激しく泣いていたら，少しなだめます。どうしても泣きやまない時は，よく洗ったお母さんの人差し指を吸わせてみます。または搾乳を少し与えてみます。赤ちゃんが大泣きのまま格闘してはいけません。
2. うまくくわえられずに，赤ちゃんがイヤイヤをするように首を振ったり，のけぞったりする時があります。でも，この動きは，「イヤイヤ」ではありません。赤ちゃんが乳首を上手にくわえようと焦っている場合が多いです。
3. イヤイヤに思える動きは，うまく乳首をくわえる反射です。これを探索反射やうなずき反射と言います。
4. もし，赤ちゃんが慌ててくわえてしまい，乳首が痛いと感じる場合は，くわえさせ直します。
5. または，もう一度魔法のクチュクチュを行うか，少しだけ搾乳してから再トライしましょう。

寺田恵子，浅野美智留Ⓒ

乳首をくわえられたら

1. 赤ちゃんが母乳を吸い始めても，すぐには湧いてきません。しばらくは，赤ちゃん自身がクチュクチュをします。
2. 赤ちゃんのクチュチュの後に母乳が湧いてきて，それを飲み込み始めます。おっぱいが張っていなくても大丈夫です。
3. 赤ちゃんからゴクンゴクンという音が聞こえてきたら，母乳を飲み込めています。
4. たとえ，音が聞こえなくても大丈夫。赤ちゃんがお母さんの乳首を離さないでうまくくわえていたら，ゆっくりゆったり与えます。
5. 飲ませる時間は何分間と決めないで，ゆったりと与えます。5分だけ，10分だけ，と時間を決めて時計とにらめっこしないでください。ゆったりとした気持ちで与えます。
6. 「赤ちゃんが疲れるから何分間だけ吸わせる」と決めなくても大丈夫です。
7. 母乳を与える幸せな時間を十分に味わってください。

飲み終わりは

1. 赤ちゃんの口から乳首を外したい時には，赤ちゃんの口の横から，お母さんの小指や人差し指を入れてみましょう。
2. または，赤ちゃんとおっぱいを反対の方向にスライドします。
3. 「チュッパ」っと聞こえたら乳首が外れています。
4. 赤ちゃんの口から乳首を無理に引っ張り出さないようにしましょう。

寺田恵子，浅野美智留Ⓒ

母乳育児を続けるために

1. 母乳の量を増やすための手当ては，赤ちゃんが上手に頻回に飲める条件を整えることです。
2. 赤ちゃんが上手に飲めることを目指して，赤ちゃんが母乳を吸い始める動きをお母さんの指で代わりに行います。
3. 赤ちゃんはお母さんの乳首を吸うことで，すべて解決に導いてくれます。
4. おっぱいの詰まりや痛みが取れない時は，赤ちゃんの抱き方を変えて飲ませてみましょう。
5. うまく飲めない時は，焦らずに，再度「魔法のクチュクチュ」を行ってから赤ちゃんに吸わせます。何度もトライしてみましょう。
6. それでもうまくいかない時は，少し母乳を搾乳して赤ちゃんに与えておきましょう。
7. 今回の方法でうまくいかない時や解決しない時は，母乳育児を応援してくださっている助産師や医師の元を訪ねてください。

幸せな母乳育児

- 赤ちゃんの幸せそうな顔が見えますか？
- お母さんも幸せですか？

　母乳育児は楽しみながら行うものです。
　母乳育児がうまくいかずに気分が落ち込んでいる時は，一人で悩まないでください。
　できるだけ早く，近くの専門家（病院・助産所・保健所・子育て支援センター・産後ケアの施設）などを訪ねてくださいね。

- 全国にBSケアの仲間がいます。
- 近くに窓口がなく不安が増す時は，https://bscare.net/ にお問い合わせください。
- 近隣にBSケアプレゼンターの仲間がいる場合は対応させていただきます。

寺田恵子，浅野美智留Ⓒ

一人で悩まないで

　魔法のクチュクチュはお分かりいただけましたか。ご自分で，手当てができそうですか。

　お産前の女性の9割が母乳育児を希望しています。あなたもきっと，そのようにお考えのことでしょう。

　うまくいけば，母乳育児は楽しくて幸せなものです。しかしながら，想像以上に大変なことでもあります。うまくいかないことも多く，落ち込むこともあるでしょう。

　一人で努力してもうまくいかない時は，一人で悩まず専門家に尋ねてくださいね。

　私たちは，母乳育児のお手伝いをさせていただきたいと考えています。

　困った時には，赤ちゃんの魔法のクチュクチュを思い出してくださいね。

　皆様のお役に立てることを願っています。

寺田恵子，浅野美智留©

全国のBSケアプレゼンター®

■北海道
東海林 かち子
配野 美智子
岡田 千香子
浅川 由規
田口 里奈
佐藤 真紀子
上川 晶恵
新居 沙織
井上 江美

■秋田
森 朋子

■岩手
八重樫 由紀
武蔵 教子
吉田 理恵

■大阪
松田 志帆
上田 麻紀子
中島 美由紀
中野 博美
宮城 香苗
山口 多佳子

■岐阜
鵜飼 雅代

■石川
河村 美芳

■福井
川治 綾加

■京都
田仲 有季子

■兵庫
森岡 亜希子
高田 由香

■福岡
寺田 恵子
浅野 美智留
緒方 理佐

■熊本
大橋 久美子
志賀 昌子

■長崎
山口 亜矢子

■宮崎
松田 ゆかり

■鹿児島
春山 薫
松元 浩子
山下 百恵
白男川 裕子

■大分
椎原 悠貴

■東京
川崎 美香
野島 美佳
内田 綾子
矢島 千詠
佐川 直美
谷 知子
木村 恵子

■神奈川
松好 和恵
吉田 由紀
乧田 衣里
宮 祥子
關 靖子

■埼玉
三上 順子
野辺 めぐみ

■千葉
長岡 幸江
江森 浩美
渡邉 真澄
今 ひろみ
渡辺 小百合
奥住 みつ子
平野 文
増田 文

■沖縄
峯田 昌
古川 万理
前田 奈保子
池原 治子
南風原 千代利
北島 樹理
橋本 恵里子

■山口
上田 真由美

■島根
澄川 恵子

■愛媛
寺尾 みさよ
直本 梨沙

■広島
宇山 由里子
野﨑 悦子
髙島 麻季
飯塚 陽子
石川 めぐみ
田中 美佳

■三重
葛西 友子
本間 光代
山岡 茜
平野 成子
橋本 朋弥
後藤 順子

■愛知
原田 恭子
池上 順子
野川 桃江
辻 陽子
原田 清美

■静岡
山田 明美
小林 優子
舟本 由紀子
三室 静香

便宜上居住地の都道府県に表示しています。

NPO法人 BSケア
Care based on the Breast-feeding Infants' Suckling Mechanisms

BSケア関連投稿論文・学会発表一覧

1. 寺田恵子：乳頭に損傷がある場合の母乳育児継続のための支援〜授乳期ごとに起こる要因の違いに対応するBSケア〜臨床助産ケア，Vol.14，No.2，P.18〜23，2022.
2. 寺田恵子他：母乳育児に悩む母親へのメンタルヘルス〜コロナ禍のオンライン母乳育児相談会の内容を参考に，ペリネイタルケア，Vol.41，No.1，P.41〜46，2022.
3. 寺田恵子他：コロナ禍での卒乳相談への対応と支援−NPO法人BSケア主催・オンライン母乳育児相談会の内容を参考に，臨床助産ケア，Vol.13，No.6，P.49〜57，2021.
4. 寺田恵子：BSケアの概要，臨床助産ケア，Vol.12，No.6，P.2〜7，2020.
5. 浅野美智留：母乳育児支援に関連する部位と作用，臨床助産ケア，Vol.12，No.6，P.8〜13，2020.
6. 寺田恵子：母親自身が行うBSケアによるセルフケア「魔法のクチュクチュ」の必要性，臨床助産ケア，Vol.12，No.6，P.14〜20，2020.
7. 寺田恵子：乳腺炎を重症化させないための乳房ケアのコツと授乳支援，ペリネイタルケア，Vol.39，No.3，P.273〜277，2020.
8. NPO法人BSケア企画運営，寺田恵子，浅野美智留他講師：交流集会4「乳腺炎重症化予防−乳房ケアの技を身につけるためのヒントを探る−"乳房模型を持参して，痛くない乳房ケアを学ぼう！"」，第9回（第33回）日本助産学会学術集会，2019年3月3日開催.
9. 浅野美智留，寺田恵子他：赤ちゃんの母乳吸啜に倣うBSケアのホットニュース，日本母乳哺育学会誌，Vol.12，No.2，P.92〜97，2018.
10. 寺田恵子，浅野美智留：BSケア，ペリネイタルケア編集委員会編著：ペリネイタルケア2017夏季増刊 乳房ケア・母乳育児支援のすべて，P.227〜231，メディカ出版，2017.
11. 寺田恵子：産後早期の褥婦の授乳に影響する乳頭の硬度と長さの検討，日本助産学会誌，Vol.30，No.2，P.268〜276，2016.
12. Keiko Terada：Nipple Length and Its Relationship to Successful Breastfeeding Among Japanese Women, The ICM Asia Pacific Regional Conference 2015.
13. Michiru Asano, Keiko Terada：The clinical study of milk ejection induced with a massage by hand simulating the NNS (Non-nutritive sucking) mechanism. ICM (International Confederation of Midwives), 2014.
14. 浅野美智留，寺田恵子，BSケアの母乳育児支援方法論概要，日本母乳哺育学会雑誌，Vol.4，No.1，P.29〜37，2010.
15. 三根有紀子，寺田恵子，佐藤香代，浅野美智留，石橋美幸：児の母乳吸啜メカニズムに基づく乳房ケア（BSケア）のリラクゼーション効果に関する研究（原著），母性衛生，Vol.51，No.2，P.376〜384，2010.
16. 寺田恵子：乳房のしこりに対するBSケア実践報告−めぐみ助産院，妊産婦と赤ちゃんケア，Vol.1，No.6，P.20〜25，2009.
17. 寺田恵子：痛くない乳房ケアを具現化するBSケア（前編）〜NNS様の動きとNS様の動き，妊産婦と赤ちゃんケア，Vol.1，No.1，P.15〜21，2009.
18. 寺田恵子：痛くない乳房ケアを具現化するBSケア（後編）〜NNS様の動きとNS様の動き，妊産婦と赤ちゃんケア，Vol.1，No.2，P.106〜113，2009.
19. 佐藤香代，中村（寺田）恵子，浅野美智留他：児の母乳吸啜メカニズムに基づく乳房ケア 第1報 BSケア（Care based on the Breast-feeding Infants' Suckling Mechanisms）の開発，ペリネイタルケア，Vol.22，No.6，P.571〜575，2003.
20. 佐藤香代，中村（寺田）恵子，浅野美智留他：児の母乳吸啜メカニズムに基づく乳房ケア 第2報 BSケア（Care based on the Breast-feeding Infants' Suckling Mechanisms）の理論と実際その1，ペリネイタルケア，Vol.22，No.7，P.674〜678，2003.
21. 浅野美智留，佐藤香代，中村（寺田）恵子他：児の母乳吸啜メカニズムに基づく乳房ケア 第3報 BSケア（Care based on the Breast-feeding Infants' Suckling Mechanisms）の理論と実際その2，ペリネイタルケア，Vol.22，No.8，P.775〜779，2003.
22. 中村（寺田）恵子，佐藤香代，浅野美智留他：児の母乳吸啜メカニズムに基づく乳房ケア 第4報 BSケア（Care based on the Breast-feeding Infants' Suckling Mechanisms）の実践，ペリネイタルケア，Vol.22，No.9，P.863〜867，2003.
23. 三根有紀子，石橋美幸，佐藤香代，中村（寺田）恵子，浅野美智留：児の母乳吸啜メカニズムに基づく乳房ケア 第5報 BSケア（Care based on the Breast-feeding Infants' Suckling Mechanisms）の有効性〜母親へのアンケート結果からの考察，ペリネイタルケア，Vol.22，No.10，P.959〜963，2003.

索引

数字
1本の乳腺　86

欧語
areola　38
BSケアネットワーク　20
BSケアの検証　19
FIL　28, 60, 95, 102
K濃度　86
Na濃度とCl濃度　86
NICU　33, 59, 85
nipple　38
nipple areola complex　38
NNS　13, 15, 21, 44
NNS様の動き　33, 44, 52, 68, 69, 71, 72, 77, 81, 84, 85, 86, 89
non-nutritive sucking　13, 15, 44
NS　13, 15, 21, 44
NS様の動き　33, 44, 72, 84, 88
nutritive sucking　13, 15, 44
remove　93
suck　13, 42
suckling　11, 13
suck-swallowユニット　13
swallow　44
teat　12, 38
UNICEF　32
WHO　32
Woolridgeの理論　19

あ
赤ちゃんが吸えない　22
赤ちゃんの適切な吸着　77
赤ちゃんの母乳吸啜　68
悪性の腫瘍　76
温かな手の技　56
アロマセラピー　76
育児疲れ　56
育児の負担　34
痛くない　16
イトオテルミー温熱刺激療法　76
癒しに向かおうとする能動性　94
医療倫理　58
違和感のある部位　62
陰圧　44
うつ乳状態　84
栄養吸啜　13, 15
炎症　22, 56, 86
エンパワーメント　18
オートクリン・コントロール　23, 24, 60, 89, 99
お母さんと赤ちゃんの自己効力感　18
お母さんに向かう　57
お母さんの思いに共感　57
お母さんの心と身体の両面　11
オキシトシン　48
お手当て　16
恩恵　12

か
介入効果　19
"快"の表現　16
回復する力　33
仮性陥没乳頭　25
型の習熟　78
感染性　22
感染性乳腺炎　22, 23
完全断乳　76
完全母乳　103
陥没乳頭　22, 25, 87
気持ちがいい　16
吸着適応過程　22, 25, 87
筋上皮細胞　21
クーリング　93, 97
繰り返す乳房の現象　101
ケア（care）　11
ケア間隔　76
ケアリング　11
血液　26
健康教育　76
現象の起こっている乳腺　73
現象を感じる側の乳房　62

口蓋（の）役割　38，40，44，45，51
硬口蓋　38
硬結　84，86
後陣痛　85

さ

細胞を掃除する代謝　99
残存した乳汁　22，28，87
幸せな母乳育児　11，16
塩辛い味　86
時間の経緯　22
自己効力感　56，98
しこり　22，86，103
示指の力加減　19
自然免疫　101
歯槽堤　47
脂肪の濃度　26
脂肪物質の蓄積　29
射乳　70，71
射乳圧　48
射乳反射　19
終了のタイミング　74
授乳後の後搾り　28
授乳時の痛み　29
上皮細胞の過形成　29
初回授乳　32
食育　21
食事制限　21
触診　21
人為的な分泌過多　73
神経性下垂体　48
人工乳　87
心身一如　79
心身両面を受けとめる　74
真性陥没乳頭　25
身体の恒常性　95
伸展　13
真の母乳分泌不足　26，86
吸い口　12，13，69
吸えない乳頭　25
吸わせる時間　26
性器　21，58
生理的適応過程　94
生理的な体重減少　88

舌の蠕動運動　19
舌（の）役割　38，40，44，45，51
セルフケア　33，74，84，88，97，101
全身が衰弱　33
全身状態　76
全身の姿勢　53
選択的排乳　73
組織液　26
卒乳　22，28

た

大胸筋と乳房の境目　66
代謝エネルギー　100
体重の増加不良　22
ダクト　19
断乳　22，28
断乳・卒乳後のケア　87
短乳頭　22，25，87
乳首　11，13
乳首の伸展性　97
ティート　38
頭蓋仙骨療法　76
疼痛　102
貪食細胞　103

な

内圧　64
内圧の変化　73
軟口蓋　38
乳管　19
乳管洞　19，48
乳管の太さ　72
乳管の閉塞　21，22
乳汁生成Ⅰ期　23，59，69，70，72
乳汁生成Ⅱ期　23，59，69，70
乳汁生成Ⅲ期　23，59，60，70
乳汁の色が濃い　50
乳汁のうっ滞　22
乳汁分泌抑制因子　28，60，95
乳汁流出困難　22，86
乳栓　75
乳腺　56
乳腺炎　21，22，86，95

乳腺のバランス　98, 104
乳腺房　21, 49, 60
乳腺房のしこり　22
乳腺葉　28, 60
乳頭　38
乳頭乳輪　12
乳頭乳輪体　13, 16, 38, 68, 69
乳頭の損傷　28
乳房緊満　14
乳房実質　66
乳房全体の緊満　73
乳房全体の内圧　73
乳房内の硬結　75
乳房に向かう　57
乳房の現象　30, 63, 64
乳房の声　33, 34, 62, 64, 66, 67
乳房の充満や緊満状態　26
乳房の腫瘍　29
乳房の張り　26
乳房の病的な緊満　86
乳房を癒す　11, 66
乳輪　38
妊娠中のBSケア　88
眠くなる　16
脳下垂体　32
脳下垂体後葉　21, 48
膿瘍化　76
飲み取り　93

は

排乳　50, 68
排乳口　46, 50
白斑　22, 29
白血球　101
発熱　102
反復した練習　78
非栄養吸啜　13, 15
泌乳量　85
病的な緊満（状態）　26, 59, 73
頻回授乳　33, 87
深いラッチオン　93
平滑筋　13, 38, 68, 69
扁平乳頭　22, 25, 87

母指球　66
母指の圧　19
母児分離　32, 84
発赤　102
母乳育児支援　11, 12
母乳育児成功のための10カ条（10ステップ）　27, 32
母乳育児の確立　103
母乳育児の主役　18
母乳栄養　103
母乳が滞っている場合　11
母乳吸啜刺激　32
母乳吸啜の代行　32
母乳吸啜メカニズム　13, 21, 32, 104
母乳分泌過多　22, 26
母乳分泌増加過程　22, 23, 86
母乳分泌不足　22, 23, 26, 86
母乳分泌不足感　22, 26, 86, 87
母乳分泌量バランス調節過程　22, 26, 86

ま

マタニティーブルーズ　56
魔法のクチュクチュ　33, 34, 84
無危害原則　58
無駄な搾乳　73

や

優しい力加減　53
陽圧　45
寄り添う伴走者　78

ら

離乳食　99
リンパ液　26
冷罨法　93

著者略歴

寺田恵子（てらだ　けいこ）
NPO法人BSケア® 理事長
母乳育児なんでも相談室・めぐみ助産院
BSケア® 提唱者・開発者

神奈川県立看護専門学校助産学科卒業後，総合病院に勤務。その後，神奈川県立看護教育大学校母性看護課程修了。佐賀大学大学院医学系研究科修士課程看護学専攻卒業。鎌倉の個人クリニックにて母親がお産の方法を選ぶ環境を実践。福岡県のクリニック母乳外来を担当した後，1997年に柳川市にめぐみ助産院を開設。1999年から2009年まで柳川市の産婦人科でオープンシステムにて助産に携わる。2002年BSケアプロジェクトの立ち上げ・開発。2003年BSケアの講演・普及活動開始。2005年いのちの授業開始。2021年柳川市産後ケア担当。
【その他の所属】九州大学医学部保健学科助産学専攻非常勤講師，聖マリア学院短期大学助産学科非常勤講師，佐賀県医療センター好生館看護学院助産学科非常勤講師，福岡水巻助産学校非常勤講師，イトオテルミー温熱刺激療法寺田支部支部長。

浅野美智留（あさの　みちる）
NPO法人BSケア® 監事
聖マリア学院大学 看護学部・大学院
子育て応援ステーションぽっぽ 開設者
BSケア® 開発者

九州大学医療技術短期大学部専攻科助産学特別専攻卒業，慶応義塾大学法学部乙類卒業，九州大学大学院医学系学府医療経営・管理学専攻修了。九州大学医学部附属病院に勤務。その後，青年海外協力隊助産師隊員としてアフリカセネガルで活動。その後，東京都，福岡県内の産婦人科クリニックに勤務。九州看護福祉大学，福岡県立大学，福岡水巻看護助産学校で教員を経験。水巻助産院ひだまりの家を開設，子育て応援ステーションぽっぽ開設の後，現職。2002年BSケアプロジェクトの立ち上げ・開発。2003年BSケアの講演・普及活動を開始。
【その他の所属】日本国際看護学会理事。学校法人九州アカデミー学園助産師科非常勤講師，西南女学院大学助産別科非常勤講師。

表紙イラスト：中野博美（BSケアプレゼンター®・助産院うまうま）

BSケア® 基本の型

2017年8月5日 発行	第1版第1刷	2022年7月16日 発行	第2版第1刷
2019年4月13日 発行	第2刷	2023年11月10日 発行	第2刷

著者：寺田恵子（てらだけいこ）　浅野美智留（あさのみちる）Ⓒ

企　画：日総研グループ
代　表：岸田良平
発行所：日総研出版

本部 〒451-0051 名古屋市西区則武新町3-7-15(日総研ビル)　☎ (052)569-5628　FAX (052)561-1218

日総研お客様センター 電話 0120-057671　FAX 0120-052690　名古屋市中村区則武本通1-38 日総研グループ縁ビル 〒453-0017

札幌	☎ (011)272-1821　FAX (011)272-1822 〒060-0001 札幌市中央区北1条西3-2(井門札幌ビル)	大阪	☎ (06)6262-3215　FAX (06)6262-3218 〒541-8580 大阪市中央区安土町3-3-9(田村駒ビル)
仙台	☎ (022)261-7660　FAX (022)261-7661 〒984-0816 仙台市若林区河原町1-5-15-1502	広島	☎ (082)227-5668　FAX (082)227-1691 〒730-0013 広島市中区八丁堀1-23-215
東京	☎ (03)5281-3721　FAX (03)5281-3675 〒101-0062 東京都千代田区神田駿河台2-1-47(廣瀬お茶の水ビル)	福岡	☎ (092)414-9311　FAX (092)414-9313 〒812-0011 福岡市博多区博多駅前2-20-15(第7岡部ビル)
名古屋	☎ (052)569-5628　FAX (052)561-1218 〒451-0051 名古屋市西区則武新町3-7-15(日総研ビル)	編集	☎ (052)569-5665　FAX (052)569-5686 〒451-0051 名古屋市西区則武新町3-7-15(日総研ビル)

・乱丁・落丁はお取り替えいたします。本書の無断複写複製（コピー）やデータベース化は著作権・出版権の侵害となります。
・ご意見等はホームページまたはEメールでお寄せください。E-mail：cs@nissoken.com
・訂正等はホームページをご覧ください。www.nissoken.com/sgh

研修会・出版の最新情報は

www.nissoken.com

日総研

困難事例に対応するDVD付き指南書
テキストと映像で知識と技を見える化！

5年ぶりに改訂！ 新たな知見を追加！BSケア®の手技をより確実にするための必読書完成！

症状に合わせた 特殊な型を用いた手技・支援を！

「BSケア基本の型」で学び身につけた手技を、困難事例に適応。特殊な型への対応方法を具現化します。理論・根拠をテキストで理解し、実際の指の動かし方をDVD映像で確認。基本を振り返りながら応用力を身に付けます。赤ちゃんが噛んだり、引っ張ったりすることの意味を理解し、特殊な現象に対応できる、より高度な手を学びます。

B5判 2色刷 136頁＋DVD（約13分）
定価 5,000円（税込）

日総研 601934 [検索]

こんなことが学べます！
- ベーシックで学んだ基本の技をさらに発展・応用するための特殊な型（挟み込み型・ねじり型・しごき型）
- 授乳期間中に遭遇する困難事例対応
- しこり、うっ滞、うっ積への対応
- 乳腺炎の支援とBSケア
- 乳首の亀裂・損傷により授乳痛がある場合
- 生理的充満・病的緊満、分泌不足、分泌過多の場合など

主な内容
- BSケア実践における現象のとらえかた
- 赤ちゃんの癒しの吸啜（基本の母乳吸啜と特殊な母乳吸啜）
- BSケアの特殊な型の技術
- 赤ちゃんが母乳を飲み取るために特殊な型を用いた支援
- BSケアの本質

手技DVD（約13分）内容
基本の型：NNS・NSのリズムと指の動かし方 など
特殊な型：乳汁遮断・しごき・捻り・挟み込み型 など

日総研20年間のBSケアセミナーの内容をまとめました。
本書は、2002年より、児の母乳吸啜メカニズムに基づく乳房ケア・Care based on the Breast-feeding Infants' Suckling Mechanisms(BSケア)の第一次、二次、三次プロジェクトを通じ開催された20年間のセミナーの要点とお母さん・赤ちゃんに寄り添って積み重ねてきたBSケアの真髄をまとめた唯一無二のBSケアのバイブルです。

寺田恵子
NPO法人BSケア 理事長
BSケア提唱者・開発者
母乳育児なんでも相談室・めぐみ助産院 院長

浅野美智留
助産師／BSケア開発者
NPO法人BSケア 監事
聖マリア学院大学 看護学部・大学院 准教授
子育て応援ステーションぽっぽ 開設者

これ1冊で操作、判読の基本ばっちり！
胎児の計測・推定体重の出し方など基準となる表や数値を基に解説！

正岡 博
正岡病院 理事長／超音波指導医

主な内容
・超音波検査のイロハ
・妊娠初期超音波検査のチェック項目
・多胎妊娠の診断と管理
・前置胎盤の診断　ほか

A6判 112頁
オールカラー
定価 2,750円（税込）
（商品番号 601853）

進行のマンネリ解消 レベルアップに！
すぐ役立つ有意義な講義を多数収録

[編著]
平山三千代
大阪大学 助産師同窓会 会長
高橋弘枝
前・大阪府看護協会 会長

主な内容
・生活の仕方　・栄養
・母乳哺育　・赤ちゃんの発育
・周産期の異常
・分娩の進行と対処方法
・入院時期について　ほか

CD-ROM ＋
B5判 72頁
定価 3,768円（税込）
（商品番号 601785）

①目的 ②適応 ③観察 ④異常時対応 4つのポイントを押さえた実践を！
活動制限を最小限にし、安全に固定する手順と加減が見てわかる

兵庫県立こども病院 看護部 制作

主な内容
・静脈内留置カテーテル
・中心静脈カテーテル
・経皮的中心静脈カテーテル
・動脈内留置カテーテル　ほか

DVD 約48分
定価 4,400円（税込）
（商品番号 601759）

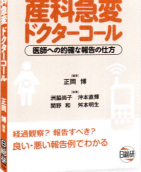

妊娠・分娩・産褥期の各種症状・アセスメント項目が事例でわかる！
医師への簡潔・的確な報告・タイミングと伝え方！

[編著] **正岡 博**
正岡病院 理事長／超音波指導医

主な内容
・妊娠初期　出血／嘔吐／頭痛　ほか
・妊娠中期・後期　出血／発熱　ほか
・分娩期　遷延分娩／微弱陣痛　ほか
・産褥期　出血／下腹部痛　ほか

A5判 152頁
定価 3,055円（税込）
（商品番号 601757）

乳房ケアの基礎から母乳哺育、メンタルケアまで
妊産婦の疑問・悩みに答え、安心のケアを実践できる！

立岡弓子
滋賀医科大学 医学部 看護学科
母性看護学・助産学分野 教授

主な内容
・産褥期乳房ケアの助産師の考え方
・乳房ケアのエビデンスの必要性
・乳房の理解
・乳汁産生・乳汁分泌の理解
・女性の健康問題と母乳栄養
・母乳哺育の開始と看護　ほか

B5判 2色刷
一部カラー 192頁
定価 3,980円（税込）
（商品番号 601646）

新人相談員、MSW、ケアマネや退院支援看護師に最適！
患者に最適な制度の活用法がわかる！

伊東利洋
有限会社いとう総研 代表取締役

主な内容
・統計と政策動向
・保健医療　・介護
・高齢者・障害者・児童の福祉
・家計を支えるセーフティネット　ほか

改訂出来
A4変型
オールカラー 320頁
定価 4,400円（税込）
（商品番号 601941）

日総研　詳細・お申し込みは　日総研 601941　検索

電話 0120-054977
FAX 0120-052690（無）